TROIS CONTES

Marguerite de Navarre

TROIS CONTES

Édition établie par
Françoise Joukovsky

LA TABLE RONDE
7, rue Corneille, Paris 6e

ISBN 2-7103-0638-7.

Préface

« Quand je ne pourrais avoir de vous que les os, si[1] *les voudrais-je tenir auprès de moi. » Ce cri terrible exprime le désir forcené d'Amadour repoussé par Floride, et le lecteur moderne ne peut l'oublier. C'est cet élan de passion qui nous émeut encore dans les nouvelles de Marguerite de Navarre, et qui nous fait vivre comme si c'étaient les nôtres les joies et les désespérances de ses héros.*

*L'amour fou est un thème commun aux trois contes que nous avons réunis, les trois nouvelles les plus longues de l'*Heptaméron. *Ce sont de petits romans, et la durée dont ils disposent autorise une analyse psychologique dont la richesse n'est pas indigne du roman classique.* La Princesse de Clèves *empruntera d'ailleurs quelques éléments à la dixième nouvelle du recueil.*

1. Pourtant.

Quand Marguerite de Navarre a-t-elle composé ces trois récits ? Nous sommes réduits à des hypothèses, comme pour l'ensemble de l'œuvre. On sait que le Prologue ne peut être antérieur à 1546, date d'un séjour de la Reine de Navarre à Cauterets, vu le décor pyrénéen où se situe cette réunion de dames et de seigneurs retenus par les intempéries : comme les héros du Décaméron *de Boccace, ils trompent le temps en narrant à tour de rôle des histoires drôles ou tragiques. Certains critiques pensent que le recueil a été ébauché plus tôt, peut-être en 1542. Pour d'autres, Marguerite de Navarre n'aurait mis l'ouvrage sur le métier qu'en 1546, et elle y aurait travaillé jusqu'à sa mort en 1549. L'examen des manuscrits permet d'entrevoir une certaine progression. Le recueil primitif n'aurait pas été organisé aussi fermement que la dernière version, dont les soixante-douze contes — l'œuvre est inachevée — sont répartis en huit journées et complétés par des débats. La première ébauche semble n'avoir comporté ni journées, ni prologue, ni devisants. Quelques détails, cependant, donnent à penser que l'auteur songeait déjà à faire une place aux propos de l'auditoire.*

Qui sont ces devisants dont la présence confère une telle richesse à la signification de chaque récit ? Ils interprètent l'histoire tour à tour comme un exemple et un contre-exemple, analysent et jugent les motivations des personnages, et s'opposent systématiquement en deux clans, unis par des rapports de complicité et d'hostilité, celui des hommes et celui des femmes. Pour ces dernières, le mot vertu *équivaut à chasteté ; mais le* devoir *de l'homme est de chercher à vaincre ces scrupules féminins, si bien que le vocabulaire moral n'a pas le même sens pour les uns et pour les autres. De plus, certains des devisants glosent ces récits à la lumière des textes sacrés, ce qui accroît la complexité du commentaire.*

La tradition veut que Parlamente soit Marguerite de Navarre ; Oisille, Louise de Savoie, la mère de Marguerite ; et Hircan, son second mari, Henri d'Albret. Oisille est en effet l'anagramme de Loise, et Hircan celui de Henric, c'est-à-dire Henri en béarnais. Dagoucin, le partisan de l'amour platonicien, pourrait être Nicolas Dangu, évêque de Séez. Ces hypothèses ont été mises en question, mais les identifications que l'on a proposées plus récemment semblent moins plausibles que la répartition traditionnelle des rôles. Il n'en reste pas moins que les devisants sont en grande partie des personnages de fiction[1].

1. Comme le rappelle à juste titre R. Aulotte (« Sur les devisants de l'*Heptaméron* », *Cahiers de l'U.E.R.* Froissart, n° 3, 1978, p. 152 ss.).

LA NOUVELLE X

Cette longue histoire — la plus ample du recueil — a pour sujet les amours malheureuses d'Amadour et de Floride. C'est Parlamente qui les raconte. Né d'une bonne maison, mais sans fortune parce qu'il est le cadet, Amadour ne peut prétendre à la main de Floride, la fille de la comtesse d'Arande. Il s'en est épris au premier regard, lorsque la fillette n'avait que douze ans. Il va tout faire pour la revoir et pour gagner sa bonne grâce. Pour elle, il épouse la laide et riche Adventurade, confidente de Floride. Afin d'éveiller sa jalousie, il feint d'en aimer une autre, Poline. Bien que mariée au duc de Cardonne, Floride se laisse peu à peu gagner par cette passion pourtant déguisée en honnête amitié. Elle voit guère Amadour, car ce preux est sans cesse sur les champs de bataille à affronter les Maures, mais elle lui écrit et ne vit qu'en lui. Amadour est son « serviteur », et non pas son « ami »; il est autorisé à lui vouer une adoration platonique, sans plus. Il semble s'en contenter, mais à deux reprises leurs retrouvailles tournent au drame. Exaspéré par cette trop longue attente, Amadour essaie de prendre Floride par force, malgré la ruse de la jeune femme, qui est allée jusqu'à se défigurer pour ne pas le tenter. Floride le bannit de sa présence, et Amadour va chercher une mort glorieuse.

Le contexte historique nous permet de situer cette

nouvelle dans un monde chevaleresque, l'Espagne de Ferdinand le catholique, roi d'Aragon et de Castille de 1468 à 1516. Le souverain a détruit la domination des Maures en prenant Grenade, et il s'est également opposé à Louis XII jusqu'au traité de Blois, signé en 1505. L'histoire d'Amadour se déroule après cette date. Marguerite de Navarre met en scène des personnages historiques, tels que le Vice-Roi de Catalogne, Don Henri d'Aragon, ou encore le Duc de Nagera, Pierre de Lara. L'Infant Fortuné, appelé Infant de la Fortune parce qu'il était né après la mort de son père, est Henri d'Aragon, et son fils, dont Floride est un temps éprise, est Don Alphonse d'Aragon, héritier de la maison de Castille. Authentique aussi l'épisode des razzias mauresques sur les côtes espagnoles. Les noms de lieux contribuent à la précision de ce contexte. Saragosse, souvent mentionnée, est la capitale du royaume d'Aragon, où se trouve aussi Arande, c'est-à-dire Aranda de Moncayo. La Jafferie est le Castillo de la Aljaferia. Salces et Leucate sont dans la région de Perpignan.

La plupart de ces détails ont leur importance, car ils permettent de situer les deux héros dans le monde de la haute aristocratie, durement soumise à un ensemble de règles. Ce sont ces obligations qui interdisent à Amadour de prétendre à la main de Floride, et qui empêchent la jeune femme de céder à leur commune passion. Elle obéit en effet à son honneur, *contrainte externe et sociale, plutôt qu'à sa conscience, ce tribunal interne, qui peut-être lui ferait prendre en pitié cet amant trop épris*[1].

Comment interpréter ce récit ambigu ? Certains critiques[2] *voient en Amadour un séducteur impénitent, un cynique pressé de faire un beau mariage, un sensuel sans scrupules. Floride au contraire serait une femme fidèle à ses devoirs d'honnête épouse, et tout au plus tentée par une amitié amoureuse. La conduite de la jeune duchesse aurait valeur d'exemple. Mais on peut également lire cette nouvelle comme l'aveu d'un échec*[3]. *Les illusions du pur amour ne résistent pas aux pulsions de l'être humain. Marguerite de Navarre décrit avec insistance la déception de Floride, qui a pris pour argent comptant les déclarations vertueuses d'Amadour. Il nous semble que dans cette affaire il n'y a ni juste ni coupable, mais deux victimes. Amadour et Floride tentent de remédier aux contraintes sociales par d'autres conventions, celles de l'honnête amour. Ils veulent y croire, plutôt que de renoncer l'un à l'autre, mais avec un mélange de bonne et de mauvaise foi. Flo-*

1. La distinction entre les deux termes a été analysée par D. Rossi (« Honneur et conscience nella cultura di Margherita di Navarra », *Journal of Medieval and Renaissance Studies*, V, 1975, p. 63 ss.).

2. Notamment, P. Jourda (*Marguerite d'Angoulême*, réimpr., Genève, 1978, p. 833 ss.).

3. Hypothèse formulée par M.J. Baker (« Didacticism and the *Heptaméron*: the misinterpretation of the tenth tale as an exemplum », *French Review*, XLV, 1971-1972, p. 84 ss.).

ride, en effet, n'est pas totalement innocente. Elle joue un jeu dangereux, et elle en est de plus en plus consciente. Amadour peut mentir pour parvenir à ses fins, mais sa sincérité est totale lorsqu'il proclame son amour, et sa mort en témoignera.

Passion tragique, parce que la situation est sans issue. L'impuissance de la liberté humaine est illustrée par la vaine tentative de Floride, qui se meurtrit le visage pour qu'Amadour se détourne d'elle. Certes, il est possible d'expliquer cet épisode par une anecdote contemporaine. Floride aurait en effet recours au même stratagème que Mademoiselle de Voland, une habitante de Manosque. En 1516, François Ier ayant manifesté une trop vive admiration pour la beauté de la jeune fille, cette héroïne vertueuse n'aurait pas hésité à se défigurer[1]*. Mais on a remarqué à juste titre qu'il s'agit d'un motif universel, et que Marguerite de Navarre en trouvait notamment un exemple chez un auteur que la Renaissance a beaucoup pratiqué, Valère Maxime*[2]*. Plus qu'un rappel d'un fait divers, cette scène est pour Maguerite de Navarre l'occasion de montrer la faiblesse de l'être humain lorsqu'il n'est plus soutenu par l'espérance et par la Grâce. Amadour et Floride sont des figures de désespérés, et c'est ce qui nous touche dans ce récit.*

1. Voir l'article de P. Jourda dans notre bibliographie.

2. C'est R. Lebègue qui a signalé cette source littéraire (voir bibliographie).

LA NOUVELLE XXI

Ce sont encore les règles du jeu social qui font le malheur de Rolandine, une jeune fille condamnée au célibat par l'avarice de son père, qui ne veut pas la doter, et par la vindicte de sa souveraine. La pauvre demoiselle trouve quelque consolation auprès d'un autre déshérité, bâtard d'une grande maison. Comme Floride et Amadour, les jeunes gens goûtent les charmes d'une amitié amoureuse, et ils s'unissent finalement par un mariage secret. Le droit canon permettait en effet les mariages contractés « de praesente » par les époux, sans l'accord des parents. Toutefois cette union n'est pas consommée, car Rolandine espère toujours obtenir le consentement de son père. La Reine découvre cette situation, et le bâtard est obligé de fuir son courroux. A l'étranger, il oublie Rolandine, et courtise une dame plus fortunée, alors que son épouse lui reste fidèle envers et contre tous. La mort de l'ingrat libère la jeune femme, qui connaîtra une union plus heureuse.

Évoqué par la narratrice, c'est-à-dire Parlamente, le contexte politique et social est d'autant plus important qu'il s'agit d'une histoire réelle[1]*, qui nous ramène au début du* XVIe *siècle. Alors qu'Amadour et Floride sont des personnages fictifs, Rolandine est Anne de Rohan, fille de Jean de Rohan. Cette iden-*

1. Comme l'a montré M. Prinet (voir notre bibliographie).

tification a été proposée dès le XVIIIe siècle par Don Maurice, historien de la maison de Rohan. Le bâtard ami de Rolandine serait peut-être Louis de Bourbon. Ce qui est sûr, c'est l'animosité d'Anne de Bretagne, épouse de Louis XII, à l'égard de Rolandine, car la Reine n'aimait pas les Rohan. Elle leur gardait en effet rancune, parce que le Vicomte de Rohan lui avait disputé l'héritage des derniers ducs de Bretagne. Même la fin de l'aventure est conforme à la réalité. Rolandine épouse un gentilhomme de sa maison, de même qu'Anne de Rohan, le 27 septembre 1515, prend pour époux son cousin Pierre de Rohan. Après le mariage, Rolandine se heurte aux prétentions de son frère, qui veut la frustrer d'une partie de ses biens, mais dont elle sera l'héritière. Or le frère d'Anne de Rohan a laissé par testament sa fortune aux enfants de sa sœur.

Nous nous retrouvons dans le monde de l'aristocratie, qui a ses privilèges et ses contraintes. Ses privilèges, car Rolandine, fille noble, n'est punie de sa désobéissance que par un emprisonnement, tandis que le serviteur du bâtard risque la torture. Mais les obligations de ce milieu sont souvent inconciliables avec le bonheur des individus. Rolandine ne demande pourtant rien d'extraordinaire ; elle aurait aimé se marier, et cherche tout au plus à rompre une solitude insupportable. Ce bonheur simple, auquel ont droit la plupart des femmes, lui est refusé de par sa situation sociale.

La jeune fille a toutefois conservé le plein usage de sa liberté, alors que Floride est entraînée dans une catastrophe qu'elle ne peut éviter. Déçue par Amadour, Floride perd peu à peu l'espoir, et vit d'une vie plus triste que la mort, entre un époux qu'elle déteste, un « serviteur » qui lui a menti, et une mère autoritaire. La perte de toute illusion la mène au couvent. Rolandine est bien différente. C'est un être à part, tourné vers Dieu, même si elle ne refuse pas les joies de ce monde. Sa confiance en la bonté et en la justice divines confère une richesse de plus en plus grande à sa vie spirituelle, et son itinéraire illustre le rôle de la Grâce[1]*. Rolandine reconnaît sa faiblesse, mais puise dans sa conscience et dans son Dieu une force qui lui permet de tenir tête à son acariâtre souveraine. C'est la force de l'humilité, qui est pour Marguerite de Navarre la vertu suprême. Ces ressources internes — alors que Floride se réfère à un honneur peut-être stérile — la rendent digne des héroïnes de Corneille. Elle ne regrette rien de sa conduite passée, et elle assume les conséquences de ses actes. C'est encore l'aide de Dieu, la Providence, qui la débarrasse de son infidèle mari, et qui lui permet de retrouver une existence familiale. Elle rentre dans la vie, alors que Floride en sort pour toujours.*

*Cependant le lecteur du XX*e *siècle retrouvera*

1. Comme l'a montré M. P. Colombin (voir notre bibliographie).

peut-être dans ce récit le grand thème de la dixième nouvelle, l'échec du pur amour. Ce mariage blanc ne résiste pas à l'absence, à l'attrait d'une dot, à la crainte de la répression. Devant trop d'obstacles, l'honnête amour s'exaspère dans l'histoire d'Amadour, et il s'évanouit dans celle de Rolandine.

LA NOUVELLE LXX

Le juste amour que Rolandine éprouve pour son époux n'a rien de commun avec la folle passion qu'un jeune seigneur inspire à la duchesse de Bourgogne. Cette passion est d'autant plus déraisonnable que la duchesse est tendrement aimée de son époux, et que le gentilhomme ne la trouve guère à son goût. A deux reprises, la dame s'efforce de le séduire, et dépitée, se venge en déclarant à son époux qu'elle a subi les assauts du jeune homme. Elle n'aura de cesse que sa victime confie à son seigneur le nom de celle qu'il aime, la propre nièce du duc, Madame du Vergy. Mais les amants étaient liés par la promesse de garder cet amour secret. Lorsque la duchesse, par pure méchanceté, révèle à Madame du Vergy que son amant n'a pas respecté ce vœu, la jeune femme meurt de douleur, et le gentilhomme désespéré se transperce de son épée.

Dominé de la première ligne à la dernière par l'inoubliable personnage de la duchesse, ce récit d'Oisille a une source littéraire, à la différence des deux précédents. Un poème du XIII*e* *siècle,* La Châtelaine de Vergy, *a connu au Moyen Age un succès attesté par une vingtaine de copies et par de nombreuses références. Composé sans doute dans les années 1230-1240, il situe ce drame dans un monde courtois, où la vie est embellie aussi bien par les fêtes que par les raffinements d'un code d'amour, en particulier la règle du secret. A la fin du* XV*e* *siècle, la légende bénéficie d'une mise en prose, l'*Istoire de la Chastelaine du Vergier et de Tristan le Chevalier, *qui amplifie considérablement le poème, l'auteur s'efforçant de tout expliciter. L'héroïne est devenue Madame du Vergier*[1]. *Vers 1540 paraît enfin une version dialoguée, en vers.*

Selon certains critiques[2], *la source de la nouvelle de Marguerite de Navarre aurait été un autre texte, une rédaction en prose, que nous ne possédons plus. Quoi qu'il en soit, la version de l'*Heptaméron *se distingue des modèles médiévaux par le statut de*

1. Nom qui figure dans la version de l'*Heptaméron* donnée par le ms. fr. 1512 de la Bibliothèque nationale, tandis que le ms. 2155, texte pour lequel nous avons opté, conserve le nom de Vergy, c'est-à-dire Vergi, dans la Côte-d'Or (le château a été démantelé à la suite des guerres de religion). — Les différentes versions de la légende ont été réunies par R. Stuip.

2. G. Paris, suivi par J. Frappier (voir notre bibliographie) et par L.A. Arrathoon (« The *Compte en vieil langaige* behind *Heptaméron*, LXX », *Romance Philology*, 30, 1976, p. 192 ss.).

l'héroïne, Madame du Vergy étant présentée comme une veuve. Sa liaison avec le gentilhomme n'est donc pas coupable, et l'héroïne mérite notre pitié. J. Frappier a également montré que le personnage de la duchesse est devenu plus complexe. C'est une voluptueuse, qui ne peut concevoir d'autre amour que charnel, et une passionnée, qui sombre dans la haine et dans le désespoir. En face d'elle, le jeune gentilhomme est le parfait cavalier, tel que la Renaissance l'imagine d'après le Courtisan *de l'Italien Castiglione. Enfin le manquement à la loi du secret n'est plus la seule cause de la douleur mortelle éprouvée par Madame du Vergy. Aussi bien, comme le remarque un des devisants, cet honnête amour n'avait guère besoin de se cacher, sinon par crainte des médisants. En vérité, Madame du Vergy est comme sa rivale tourmentée par la jalousie, et elle l'avoue dans un long monologue.*

Cette fois encore, l'amour est ruiné par le jeu combiné de la règle sociale — l'obligation du secret — et du pouvoir politique, le jeune gentilhomme étant soumis à l'autorité du duc. Comme les deux précédentes, cette nouvelle dit l'échec de l'amour vertueux.

LES AMANTS INFORTUNÉS

Ces trois récits ont en commun la nostalgie du parfait amour, que ces personnages parviennent à vivre un temps. C'est la « vraie et parfaite amour » *que le bâtard manifeste pour Rolandine, ou « l'honnête amour » d'Amadour pour Floride. Mais les deux héros seront incapables de s'y tenir. Par intérêt, le premier va tomber dans une « folle et méchante amour », et le second ne domine pas ses appétits charnels. La duchesse de Bourgogne incarne à la fois la concupiscence et l'amour possessif, qui mène à la jalousie. Comme la plupart des nouvelles de l'*Heptaméron*, ces trois contes opposent à ces fureurs les joies de l'amour vertueux, qui est une des voies par lesquelles l'être humain peut progresser vers l'amour de Dieu.*

Que faut-il entendre par « amour vertueux » ? Marguerite de Navarre se souvient de la conception de l'amour que l'influence conjuguée de Platon et de Plotin avait inspirée à un philosophe florentin, Marsile Ficin. Composé en 1469, son commentaire du Banquet *de Platon définissait l'amour comme un intermédiaire entre la terre et le ciel. Cet amour médiateur n'a pas pour fin la volupté, et une telle expérience constitue le premier degré dans l'itinéraire de l'âme à la recherche du Bien.*

Ce parfait amour ne semble pas se réaliser dans le mariage. Floride et le duc de Cardonne, le duc de Bourgogne et son épouse apparaissent comme des couples mal accordés. Il trouve plutôt sa place dans un service *platonique, une union des âmes, telle que Floride ou Rolandine s'imaginent la connaître.*

*Cette philosophie de l'amour a été explicitée par Marguerite de Navarre dans d'autres passages de l'*Heptaméron, *qui peuvent éclairer nos trois contes, et en particulier dans le débat qui suit la nouvelle XIX. C'est Parlamente qui définit cet idéal. « J'appelle parfaits amants », dit-elle, « ceux qui cherchent en ce qu'ils aiment quelque perfection, soit beauté, bonté ou bonne grâce ; toujours tendant à la vertu, et qui ont le cœur si haut et si honnête qu'ils ne veulent pour mourir mettre leur fin aux choses basses que l'honneur et la conscience réprouvent ; car l'âme, qui n'est créée que pour retourner à son souverain bien, ne fait, tant qu'elle est dedans ce corps, que désirer d'y parvenir ».*

Tel est l'idéal. Toutefois la force de ces récits est dans l'évocation d'une réalité beaucoup plus complexe. La Reine de Navarre peut rêver d'un amour angélique, mais le spectacle qu'elle observe autour d'elle, et peut-être sa propre expérience d'une vie conjugale peu satisfaisante, lui apprennent que sans cesse le cœur humain est envahi par d'autres désirs. Si les règles sociales, en particulier celles qui régissent l'aristocratie, apparaissent dans nos trois contes comme un obstacle à l'amour, le principal danger est donc interne : c'est le désir charnel, qui empêche l'homme de « retourner à son souverain bien ». Marguerite de Navarre ne dit pas autre chose dans ses Chansons spirituelles, *où elle répète que l'être humain, vicié par le péché, n'est « rien » sans l'aide divine.*

*D'où l'antithèse entre l'apparence et la réalité, et l'image du masque, de la couverture, constante dans la dixième nouvelle. Amadour est un sophiste, qui tente le contraire de ce qu'il dit. Floride fuit Amadour, mais tout son être tend vers lui. La vérité de l'*Heptaméron *est dans cette vision d'une humanité partagée entre des aspirations inconciliables. La subtilité des dialogues résulte en grande partie de ce perpétuel et involontaire mensonge.*

Ainsi vécu, l'amour n'est qu'infortune, et l'hostilité latente entre les seigneurs et les dames prolonge dans les débats l'échec reconnu dans les récits. Être incomplet, l'individu est condamné à la solitude.

Aussi Marguerite a-t-elle pitié de ses personnages, ses frères dans l'impuissance et dans la tristesse. C'est cette aptitude à la compassion qui rend ces contes émouvants. Amadour est coupable, mais il souffre. Ce séducteur n'est pas un Don Juan. Ce don de la pitié, forme littéraire de la charité, se manifeste surtout dans la nouvelle LXX. On a pu critiquer la longueur et l'emphase peut-être excessives des discours prononcés successivement par Madame du Vergy et par son amant, lorsque l'un et l'autre se découvrent trahis. Mais ces deux lamentos, outre leur fonction dans l'analyse des motivations, constituent une sorte de thrène funèbre, où sont déplorés à la fois les malheurs des deux personnages et *la condition de l'homme. Le pessimisme profond de la Reine de Navarre, esprit égaré dans un monde atroce, se donne libre cours dans ces regrets sans fin, regret de mal aimer, regret de vivre, c'est-à-dire de trahir. Cette intensité pathétique semble propre au récit de l'*Heptaméron, *alors que le poème médiéval était d'une élégance plus sèche.*

DE LA NARRATION AU THÉÂTRE

Cette compassion est également un besoin de comprendre les motivations des personnages. Ils doivent en effet leur richesse et leur authenticité à une analyse qui ne laisse rien dans l'ombre. Marguerite de Navarre les observe, et soudain, au détour d'une phrase, elle juge ses héros[1]*. Ce souci de la vérité psychologique l'emporte sur l'évocation pittoresque. Peu de détails concrets. L'auteur éclaire les âmes, et non pas le décor.*

*Il s'efforce surtout de comprendre leur évolution. Pas de portrait figé. La longueur des nouvelles y contribue, en offrant une durée que Marguerite de Navarre se plaît à rythmer. Dans le poème médiéval, la duchesse se déclare en une fois, tandis que dans la nouvelle de l'*Heptaméron *elle s'y prend à*

1. Comme l'a noté D. Stone (« Narrative technique in l'*Heptaméron* », *Studi Francesi*, 1967, XI, p. 473 ss.).

deux ou trois reprises. Les tentatives d'Amadour sont d'abord timides et purement verbales, jusqu'au moment où il passe à l'action, et avec une violence de plus en plus grande. La Reine de Navarre se donne du temps, et à cet égard elle est beaucoup plus proche de la romancière Hélisenne de Crenne, qui publie en 1538 un long roman d'amour, que du conteur Bonaventure des Périers, qui joue au contraire sur la rapidité allègre du récit. Ce temps du récit est d'ailleurs prolongé au-delà du conte, dans cet avenir où s'éloigne le personnage, la vie de Floride au cloître, ou le bonheur familial de Rolandine.

D'une étape à l'autre de cette évolution, la progression est implacable. L'action nouée, on s'achemine vers le dénouement tragique, sans merci. Cette construction dramatique est soulignée par l'importance du dialogue. A l'intérieur du récit, Marguerite de Navarre ménage des scènes de théâtre, où s'affrontent Floride et Amadour, Rolandine et la Reine. Autant de combats, où chacun s'efforce de faire plier l'interlocuteur. La parole est une arme, et cette fonction révèle une fois de plus la malice de l'être humain, vicié par le péché, et qui fait mauvais usage de ce don divin.

Il y a du théâtre dans les récits, et des correspondances entre ces scènes et les dialogues qui suivent chaque narration. Le couple formé par le voluptueux Hircan et la sage Parlamente reproduit sur un mode plus enjoué l'opposition entre Floride et Amadour.

Le récit se prolonge dans la vie, aussi cruelle que la fiction.

Malgré les conventions de leur classe ou leur idéal peut-être suranné du parfait amour, comme ils sont proches de nous, ces personnages en quête de l'autre et du bonheur... Cette grande romancière a su les laisser aller jusqu'au bout de leur folie et de leurs tentations. Que nous transmettent-ils? Sans doute ni leur sentiment de l'honneur ni leur credo platonicien. Comme bien des héros du roman moderne, ils nous apportent leur échec, tout ce qu'ils n'auront jamais et qui leur manque si durement. Ce besoin d'amour est en effet pour la Reine une preuve que l'être humain, dans sa déchéance et dans ses errements, conserve un peu de sa splendeur originelle.

FRANÇOISE JOUKOVSKY.

Note sur l'établissement du texte

Rappelons que les deux premières éditions, celles de Boaistuau et de Gruget, ne sont pas fiables. On leur a longtemps préféré le texte du manuscrit fr. 1512 de la Bibliothèque nationale, qui constitue notamment le texte de base de l'édition donnée par M. François. Ce manuscrit est toutefois peu satisfaisant, et R. Salminen a récemment opté pour le manuscrit 2155, qui est dans l'ensemble plus correct. C'est ce texte que nous avons suivi, tel que R. Salminen l'a édité en 1991, parce qu'il permet de comprendre un bon nombre de passages qui étaient restés obscurs, notamment dans la dixième nouvelle.

Orthographe et ponctuation ont été modernisés. Mais sauf pour les noms de lieux, nous n'avons pas modifié la forme des mots (nous avons par exemple conservé *pourmener* ou *torment*). Par souci de clarté, nous avons seulement remplacé *ne* par *ni*, lorsque le mot avait cette signification.

En revanche, nous avons introduit des alinéas dans les dialogues et dans quelques cas où la lecture risquait d'être difficile.

Bibliographie

ÉDITIONS DE L'« HEPTAMÉRON »

Édition M. François, réimpr. Paris, 1991.
Édition R. Salminen, Helsinki, 1991.

QUELQUES ÉTUDES SUR L'« HEPTAMÉRON »

On trouvera toute l'information nécessaire dans le livre de Nicole Cazauran, *L'« Heptaméron » de Marguerite de Navarre*, 2e éd., Paris, 1991.

Il existe une bibliographie de Marguerite de Navarre (H.P. Clive, *Marguerite de Navarre*, Londres, 1983) et une « concordance » de l'*Heptaméron* (S. Hanon, *Le Vocabulaire de l'« Heptaméron » de Marguerite de Navarre*, Paris, 1990).

Pour la nouvelle X

P. Jourda, *La dixième nouvelle de l'« Heptaméron »*, Mélanges J. Vianey, Paris, 1934, p. 127 ss.
R. Lebègue, *La femme qui mutile son visage*, Académie des inscriptions et belles-lettres, 1959, p. 176 ss.

Pour la nouvelle XXI

M. Prinet, « Portrait d'Anne de Rohan, la Rolandine de l'*Heptaméron* », *Revue du XVIe siècle*, 1926, p. 70 ss.
M.P. Colombin, « Rolandine ou la vérité du romanesque dans la vingt et unième nouvelle de l'*Heptaméron* », in *Figures féminines et roman*, études réunies par J. Bessière, Paris, 1982, p. 49 ss.

Pour la nouvelle LXX

J. Frappier, « La Châtelaine de Vergi », in *Du Moyen Age à la Renaissance*, Paris, 1976, p. 393 ss.
R. Stuip, *La Châtelaine de Vergy*, Paris, 1985 (textes réunis et traduits).

Chronologie

1492. — Naissance de Marguerite d'Angoulême, fille de Charles d'Angoulême et de Louise de Savoie.

1494. — Naissance de son frère, le futur François Ier.

1509. — Noces de Marguerite et de Charles d'Alençon.

1515. — Avènement de François Ier. Marguerite devient une des grandes figures de la cour.

1521. — Premiers essais poétiques, et début de la correspondance avec l'évêque de Meaux, Guillaume Briçonnet, son directeur spirituel.

1525. — Défaite de Pavie et captivité de François Ier. Marguerite perd son mari.

1527. — Elle épouse Henri d'Albret, roi de Navarre, et vit avec lui en Navarre. Sa fille aînée sera Jeanne d'Albret, la mère du futur Henri IV.

1531. — Mort de Louise de Savoie. Marguerite publie le *Miroir de l'Ame pécheresse*, poème qui sera condamné par la Sorbonne, et elle accueille tous ceux qui sont acquis aux idées nouvelles en matière de religion.

1532. — Rabelais, *Pantagruel*.

1534. — Affaire des Placards et début de la répression religieuse.
Rabelais, *Gargantua*.
1536. — Bonaventure des Périers est au service de Marguerite de Navarre.
1541. — Antoine Héroët publie *La parfaite amie*, poème d'inspiration platonicienne.
Version française de l'*Institution chrétienne* de Calvin.
1546. — Séjour de Marguerite à Cauterets (peut-être le moment où elle compose le Prologue de l'*Heptaméron*).
Rabelais lui dédie le *Tiers livre* (consacré au problème du mariage).
1547. — Marguerite compose certaines de ses *Chansons spirituelles*, le poème *La Navire*, et les *Prisons* (œuvres d'inspiration mystique).
Mort de François Ier, qui bouleverse la reine.
A Lyon paraît un recueil de ses principaux poèmes, sous le titre *Marguerites de la Marguerite des Princesses* (le volume contient aussi des comédies religieuses et profanes).
1549. — Mort de Marguerite dans son château de Tarbes.
1558. — Pierre Boaistuau publie une première édition de l'*Heptaméron*, sous le titre *Histoires des Amans fortunez*.
1559. — *Heptaméron*, nouvelle édition par Claude Gruget.

Dixième nouvelle

En la comté d'Arande, en Aragon, y avait une dame qui en sa grande jeunesse demeura veuve du comte d'Arande avec un fils et une fille, laquelle fille se nommait Floride. Ladite dame mit peine de nourrir ses enfants en toutes les vertus honnêtes qui appartiennent à seigneurs et gentilshommes ; en sorte que sa maison eut le bruit d'une des honorables qui fût point en toutes les Espagnes.

Elle allait souvent à Tolède, là où se tenait le roi d'Espagne ; et quand il venait à Saragosse, qui était près de sa maison, demeurait longuement avec la Reine et à la cour, où elle était autant estimée que dame pourrait être. Une fois, allant devers le Roi, selon sa coutume, lequel était à Saragosse, en son château de la Jafferye, cette dame passa par un village qui était au Vi-roi de Catalogne, lequel ne bougeait point de dessus la frontière de Perpignan, à cause des longues guerres qui étaient entre les rois de France et d'Espagne ; mais à cette heure-là, y était la paix, en sorte que le Vi-roi avec tous les capitaines étaient venus faire la révérence au roi. Sachant ce Vi-roi que la comtesse d'Arande passait par sa terre, alla au devant d'elle, tant pour l'amitié ancienne qu'il lui portait que pour l'honorer comme parente du Roi. Or il avait en sa compagnie plusieurs honnêtes gentilshommes qui par la fréquentation de longues guerres avaient acquis tant d'honneur et de bon bruit, que chacun qui les pouvait voir et hanter se tenait heureux.

Et, entre les autres, y en avait un nommé Amadour, lequel, combien qu'il n'eût que dix-huit ou dix-neuf ans, si avait-il grâce tant assurée et le sens si bon, que on l'eût jugé entre mille digne de gouverner une chose publique. Il est vrai que ce bon sens-là était accompagné d'une si grande et naïve beauté, qu'il n'y avait œil qui ne se tînt content de le regarder ; et si la beauté était tant exquise, la parole la suivait de si près que l'on ne savait à qui donner l'honneur, ou à la grâce, ou à la beauté, ou au bien parler. Mais ce qui le faisait encore plus estimer, c'était sa très grande hardiesse, dont le bruit n'était empêché pour sa jeunesse ; car en tant de lieux avait déjà si fort montré ce qu'il savait faire, que non seulement les Espagnes, mais la France et l'Italie estimèrent grandement ses vertus, pource que, à toutes les guerres qui avaient été, il ne se était point épargné ; et quand son pays était en repos, il allait chercher la guerre aux lieux étranges, où il était aimé et estimé d'amis et d'ennemis.

Ce gentilhomme, pour l'amour de son capitaine, se trouva en cette terre où était arrivée la comtesse d'Arande ; et, en regardant la beauté et bonne grâce de sa fille Floride, qui pour l'heure, n'avait que douze ans, se pensa en lui-même que c'était bien la plus honnête personne qu'il avait jamais vue, et que s'il pouvait avoir sa bonne grâce, il en serait plus satisfait que de tous les biens et plaisirs qu'il saurait avoir d'une autre. Et après l'avoir longuement regardée, se délibéra de l'aimer, quelque impossibilité que la raison lui mît au devant, tant pour la maison dont elle était, que pour l'âge, qui ne pouvait encore entendre tels propos. Mais contre cette crainte se fortifiait d'une bonne espérance, se promettant à lui-même que le temps et la patience apporteraient heureuse fin à ses labeurs. Et dès ce temps, l'amour gentil, qui sans occasion que par force de lui-même était entré au cœur d'Amadour, lui promit de lui donner toute faveur et moyen pour y parvenir. Et pour pourvoir à la plus grande difficulté, qui était la lointaineté du pays où il demeurait, et le peu d'occasion qu'il avait de revoir Floride, se pensa de se marier, contre la délibération qu'il avait faite avec les dames de Barcelone et Perpignan, avec lesquelles il avait tel crédit que peu ou rien lui était refusé ; et avait tellement hanté cette frontière, à cause des guerres, qu'il semblait mieux Catalan que Castillan, combien qu'il fût natif d'auprès de Tolède, d'une maison riche et honorable; mais à cause qu'il était puîné, n'avait rien de son patrimoine. Si est-ce que Amour et Fortune, le voyant délaissé de ses parents, délibérèrent de y faire leur chef-d'œuvre, et lui donnèrent, par le moyen de la vertu, ce que les lois du pays lui refusaient. Il était fort adonné en l'état de la guerre, et tant aimé de tous seigneurs et princes, qu'il refusait plus souvent leurs biens qu'il n'avait souci de leur en demander.

La comtesse dont je vous parle arriva aussi en Saragosse, et fut très bien reçue du Roi et de toute sa cour. Le gouverneur de Catalogne la venait souvent visiter, et Amadour n'avait garde de faillir à l'accompagner, pour avoir seulement le loisir de regarder Floride, car il n'avait nul moyen de parler à elle. Et pour se donner à connaître en telle compagnie, s'adressa à la fille d'un vieux chevalier voisin de sa maison, nommée Adventurade, laquelle avait avec Floride été nourrie d'enfance, tellement qu'elle savait tout ce qui était caché en son cœur. Amadour, tant pour l'honnêteté qu'il trouva en elle que pource qu'elle avait trois mille ducats de rente en mariage, délibéra de l'entretenir comme celui qui la voulait épouser. A quoi volontiers elle prêta l'oreille; et pource qu'il était pauvre et son père riche, pensa que jamais il ne s'accorderait à ce mariage, sinon par le moyen de la comtesse d'Arande. Dont s'adressa à madame Floride et lui dit : « Madame, vous voyez ce gentilhomme catalan qui souvent parle à moi ; je crois que toute sa prétente n'est que de m'avoir en mariage. Vous savez quel père j'ai, lequel jamais ne y consentira, si par la comtesse et par vous il n'en est bien fort prié. »

Floride, qui aimait la demoiselle comme elle-même, l'assura de prendre cette affaire à cœur comme son bien propre. Et fit tant Adventurade qu'elle lui présenta Amadour, lequel, en lui baisant la main, cuida s'évanouir d'aise. Et là où il était estimé le mieux parlant qui fût en Espagne, devint muet devant Floride, dont elle fut fort étonnée ; car, combien qu'elle n'eût que douze ans, si avait-elle déjà bien entendu qu'il n'y avait homme en l'Espagne mieux disant ce qu'il disait et de meilleure grâce. Et voyant qu'il ne lui tenait nul propos, commença à lui dire : « La renommée que vous avez, seigneur Amadour, par toutes les Espagnes, est telle qu'elle vous rend connu en cette compagnie, et donne désir à ceux qui vous connaissent de s'employer à vous faire plaisir ; parquoi, si en quelque endroit je vous en puis faire, vous me y pouvez employer. » Amadour, qui regardait la beauté de sa dame, était si très ravi, que à peine lui put-il dire grand merci ; et combien que Floride s'étonnât de le voir sans réponse, si est-ce qu'elle l'attribua plutôt à quelque sottise que à la force d'amour, et passa outre, sans parler davantage.

Amadour, connaissant la vertu qui en si grande jeunesse commençait à se montrer en Floride, dit à celle qu'il voulait épouser : « Ne vous émerveillez point si j'ai perdu la parole devant Madame Floride ; car les vertus et la sage parole qui sont cachées sous cette grande jeunesse m'ont tellement étonné que ne lui ai su que dire. Mais je vous prie, Adventurade, comme celle qui savez ses secrets, me dire s'il est possible que en cette cour elle n'ait tiré tous les cœurs des princes et des gentilshommes ; car ceux qui la connaîtront et ne l'aimeront, sont pierres ou bêtes. » Adventurade, qui déjà aimait Amadour plus que tous les hommes du monde, ne lui voulut rien celer, et lui dit que Madame Floride était aimée de tout le monde ; mais à cause de la coutume du pays, peu de gens parlaient à elle ; et n'en avait point encore vu nul qui en fît grand semblant, sinon deux princes d'Espagne, qui désiraient de l'épouser, l'un desquels était fils de l'Infant Fortuné, l'autre était le jeune duc de Cardonne.

« Je vous prie, dit Amadour, dites-moi lequel vous pensez qu'elle aime le mieux ?

— Elle est si sage, dit Adventurade, que pour rien elle ne confesserait avoir autre volonté que celle de sa mère ; toutefois, à ce que nous en devons juger, elle aime trop mieux le fils de l'Infant Fortuné que le jeune duc de Cardonne. Mais sa mère, pour l'avoir plus près d'elle, l'aimerait mieux à Cardonne. Et je vous tiens homme de si bon jugement, que, si vous vouliez, dès aujourd'hui, vous en pourriez juger la vérité ; car le fils de l'Infant Fortuné est nourri en cette cour, qui est un des plus beaux et parfaits jeunes princes qui soit en la Chrétienté. Et si le mariage se faisait, par l'opinion d'entre nous filles, il serait assuré d'avoir Madame Floride, pour voir ensemble le plus beau couple de toute l'Espagne. Il faut que vous entendiez que combien qu'ils soient tous deux jeunes, elle de douze, et lui de quinze ans, si a-il déjà trois ans que l'amour est commencée ; et si vous voulez avoir la bonne grâce d'elle, je vous conseille de vous faire ami et serviteur de lui. »

Amadour fut fort aise de voir que sa dame aimait quelque chose, espérant que à la longue il gagnerait le lieu, non de mari, mais de serviteur ; car il ne craignait rien en sa vertu, sinon qu'elle ne voulsît rien aimer. Et après ces propos s'en alla Amadour hanter le fils de l'Infant Fortuné, duquel il eut aisément la bonne grâce, pource que tous les passetemps que le jeune prince aimait, Amadour les savait tous faire ; et surtout était fort adroit à manier les chevaux, se aider de toutes sortes d'armes, et à tous les passetemps et jeux que un jeune homme doit savoir. La guerre recommença en Languedoc, et fallut que Amadour retournât avec le gouverneur ; qui ne fut sans grand regret, car il n'y avait moyen par lequel il pût retourner en lieu où il pût voir Floride ; et pour cette occasion, à son partement, parla à un sien frère, qui était majordome de la Reine d'Espagne, et lui dit le bon parti qu'il avait trouvé en la maison de la comtesse d'Arande, de la damoiselle Adventurade, lui priant que en son absence fît tout son possible que le mariage vînt à exécution, et qu'il y employât le crédit de la Reine et du Roi, et de tous ses amis. Le gentilhomme, qui aimait son frère tant pour le lignage que pour ses grandes vertus, lui promit y faire son devoir ; ce qu'il fit ; en sorte que le père, vieux et avaricieux, oublia son naturel pour garder les vertus d'Amadour, lesquelles la comtesse d'Arande, et sur toutes la belle Floride, lui peignaient devant les œils ; pareillement le jeune comte d'Arande, qui commençait à croître, et en croissant, à aimer les gens vertueux. Quand le mariage fut accordé entre les parents, le majordome de la Reine envoya quérir son frère, tandis que les trèves duraient entre les deux rois.

Durant lequel temps, le roi d'Espagne se retira à Madrid, pour éviter le mauvais air qui était en plusieurs lieux ; et par l'avis de ceux de son conseil, à la requête aussi de la comtesse d'Arande, fit le mariage de l'héritière duchesse de Medinaceli avec le petit comte d'Arande, tant pour le bien et union de leur maison que pour l'amour qu'il portait à la duchesse d'Arande ; et voulut faire les noces au château de Madrid. A ces noces se trouva Amadour, qui poursuivit si bien les siennes qu'il épousa celle dont il était plus aimé qu'il n'y avait d'affection, sinon d'autant que ce mariage lui était très heureuse couverture et moyen de hanter le lieu où son esprit demeurait incessamment. Après qu'il fut marié, prit telle hardiesse et privauté en la maison de la comtesse d'Arande, que l'on ne se gardait de lui non plus que d'une femme. Et combien que à l'heure il n'eût que vingt-deux ans, il était si sage que la comtesse d'Arande lui communiquait toutes ses affaires, et commandait à son fils et à sa fille de l'entretenir et croire ce qu'il leur conseillait. Ayant gagné ce point-là de cette grande estime, se conduisait si sagement et froidement, que même celle qu'il aimait ne connaissait point son affection. Mais pour l'amour de sa femme, qu'elle aimait plus que nulle autre, était-elle si privée de lui, qu'elle ne lui dissimulait chose qu'elle pensât ; et gagna ce point qu'elle lui déclara toute l'amour qu'elle portait au fils de l'Infant Fortuné. Et lui, qui ne tâchait que à la gagner entièrement, lui en parlait incessamment ; car il ne lui chalait de quel propos il lui parlât, mais qu'il eût moyen de l'entretenir longuement. Il ne demeura point un mois en la compagnie après ses noces, qu'il fût contraint de retourner à la guerre, où il demeura plus de deux ans, sans retourner voir sa femme, laquelle se tenait toujours où elle avait été nourrie.

Durant ce temps lui écrivait souvent Amadour; mais le plus de sa lettre était des recommandations à Floride, qui, de son côté, ne faillait de les lui en rendre, et mettait quelque bon mot de sa main en la lettre que Adventurade faisait, qui était l'occasion de rendre son mari très soigneux de lui écrire souvent. Mais en tout ceci ne connaissait rien Floride, sinon qu'elle l'aimait comme s'il eût été son propre frère. Plusieurs fois alla et vint Amadour, en sorte que en cinq ans ne vit pas Floride deux mois durant: et toutefois l'amour, en dépit de l'éloignement et de la longueur de l'absence, ne laissait pas de croître. Et advint qu'il fit un voyage pour venir voir sa femme, et trouva la comtesse bien loin de la cour, car le roi d'Espagne s'en était allé à l'Andalousie, et avait mené avec lui le jeune comte d'Arande, qui déjà commençait à porter armes. La comtesse d'Arande s'était retirée en une maison de plaisance qu'elle avait sur la frontière d'Aragon et de Navarre; et fut fort aise, quand elle vit revenir Amadour, lequel près de trois ans avait été absent. Il fut bien venu d'un chacun, et commanda la comtesse qu'il fût traité comme son propre fils. Tandis qu'il fut avec elle, elle lui communiqua toutes ses affaires de sa maison, et en remettait la plupart à son opinion; et gagna un si grand crédit en cette maison, que en tous les lieux où il voulait venir, on lui ouvrait toujours la porte, estimant sa preud'hommie si grande, que l'on se fiait en lui de toutes choses comme un saint ou un ange.

Floride, pour l'amitié qu'elle portait à sa femme Adventurade et à lui, le cherchait en tous lieux où elle le voyait : et ne se doutait en rien de son intention ; parquoi elle ne se gardait de nulle contenance, pource que son cœur ne souffrait nulle passion, sinon qu'elle sentait un très grand contentement quand elle était auprès de lui, mais autre chose n'y pensait. Amadour, pour éviter le jugement de ceux qui ont expérimenté la différence du regard des amants au prix des autres, fut en grande peine. Car quand Floride venait parler à lui privément, comme celle qui n'y pensait en nul mal, le feu caché en son cœur le brûlait si fort qu'il ne pouvait empêcher que la couleur ne lui montât au visage, et que les étincelles saillissent par ses œils. Et afin que par fréquentation nul ne s'en pût apercevoir, se mit à entretenir une fort belle dame, nommée Poline, femme qui en son temps fut estimée si belle, que peu d'hommes qui la voyaient échappaient de ses liens. Cette Poline, ayant entendu comme Amadour avait mené l'amour à Barcelone et à Perpignan, en sorte qu'il était aimé des plus belles et honnêtes dames du pays, et, sur toutes, d'une comtesse de Palamos, que l'on estimait la première en beauté de toutes les dames d'Espagne et de plusieurs autres, lui dit qu'elle avait grand pitié de lui, vu que après tant de bonnes fortunes avait épousé une femme si laide que la sienne. Amadour, entendant bien par ces paroles qu'elle avait envie de remédier à sa nécessité, lui en tint les meilleurs propos qu'il fut possible, pensant, en lui faisant accroire un mensonge, qu'il lui couvrirait une vérité. Mais elle, fine, expérimentée en amour, ne se contenta de paroles ; toutefois, sentant très bien que son cœur n'était satisfait de cet amour, se douta qu'il la voulût faire servir de couverture, et pour cette occasion, le regardait de si près qu'elle avait toujours le regard à ses œils, qui savaient si bien feindre qu'elle ne pouvait juger que par bien obscur soupçon ; mais si n'était-ce sans grande peine au gentilhomme, auquel Floride, ignorant toutes ces malices, s'adressait souvent devant Poline si privément qu'il avait une merveilleuse peine à contraindre son regard contre son cœur.

Et pour éviter qu'il n'en vînt inconvénient un jour, parlant à Floride, appuyés tous deux sur une fenêtre, lui tint tel propos : « M'amie, je vous supplie me conseiller, lequel vaut mieux, parler ou mourir ? »

Floride lui répondit promptement : « Je conseillerai toujours à mes amis de parler, et non de mourir ; car il y a peu de paroles qui ne se puissent amender ; mais la vie perdue ne se peut recouvrer.

— Vous me promettez donc, dit Amadour, que vous ne serez non seulement marrie des propos que je vous veux dire, mais étonnée jusques à ce que vous entendiez la fin ? »

Elle lui répondit : « Dites ce qu'il vous plaira ; car si vous m'étonnez, nul autre ne m'assurera. »

Il commença à lui dire : « Madame, je ne vous ai encore voulu dire la très grande affection que je vous porte, pour deux raisons ; l'un que je attendais par long service vous en donner l'expérience ; l'autre, que je doutais que vous estimissiez gloire en moi, qui suis un simple gentilhomme, de m'adresser en lieu qu'il ne m'appartient de regarder. Et encore, quand je serais prince comme vous, la loyauté de votre cœur ne permettrait que autre que celui qui en a pris possession, fils de l'Infant Fortuné, vous tienne propos d'amitié. Mais madame, tout ainsi que la nécessité en une forte guerre contraint faire le dégât de son propre bien et ruiner le blé en herbe, afin que l'ennemi n'en puisse faire son profit, ainsi prends-je le hasard de avancer le fruit que avec le temps j'espérais cueillir, pour garder que les ennemis de vous et de moi n'en puissent faire le profit à votre dommage. Entendez, Madame, que dès l'heure de votre grande jeunesse, je me suis tellement dédié à votre service, que je n'ai cessé de chercher les moyens pour acquérir votre bonne grâce ; et pour cette occasion seule, me suis marié à celle que je pensais que vous aimiez le mieux. Et sachant l'amour que vous portiez au fils de l'Infant Fortuné, ai mis peine de le servir et hanter comme vous savez ; et tout ce que j'ai pensé vous plaire, je l'ai cherché de tout mon pouvoir. Vous voyez que j'ai acquis la grâce de la comtesse votre mère et du comte votre frère, et de tous ceux que vous aimez, tellement que je suis en cette maison tenu non comme serviteur, mais comme enfant ; et tout le travail que j'ai pris il y a cinq ans n'a été que pour vivre toute ma vie avec vous. Entendez, Madame, que je ne suis point de ceux qui prétendent par ce moyen avoir de vous ni bien ni plaisir autre que vertueux. Je sais que je ne vous puis jamais épouser ; et quand je le pourrais, je ne voudrais, contre l'amour que vous portez à celui que je désire vous voir pour mari. Aussi, de vous aimer d'une amour vicieuse, comme ceux qui espèrent de leur long service une récompense au déshonneur des dames, je suis si loin de cette affection, que j'aimerais mieux vous voir morte que de vous savoir moins digne d'être aimée, et que la vertu fût amoindrie en vous, pour quelque plaisir qui m'en sût advenir. Je ne prétends, pour la fin et récompense de mon service, que une chose ; c'est que vous me veuilliez être maîtresse si loyale que jamais vous ne m'éloigniez de votre bonne grâce, que vous me continuiez au degré où je suis, vous fiant en moi plus que en nul autre, prenant cette sûreté de moi, que si, pour votre honneur ou chose qui vous touchât, vous avez besoin de la vie d'un gentilhomme, la mienne y sera de très bon cœur employée, et en pouvez faire état, pareillement, que toutes les choses honnêtes et vertueuses que je ferai seront faites seulement pour l'amour de vous. Et si j'ai fait, pour dames moindres que vous, chose dont ait fait estime, soyez sûre que, pour une telle maîtresse, mes entreprises croîtront de telle sorte que les choses que je trouvais impossibles me seront très faciles. Mais, si ne m'acceptez pour du tout vôtre, je délibère de laisser les armes, et renoncer à la vertu qui ne m'aura secouru à mon besoin. Parquoi, Madame, je vous supplie que ma juste requête me soit octroyée, puisque votre honneur et conscience ne me la peuvent refuser. »

La jeune dame, oyant un propos non accoutumé, commença à changer de couleur et baisser les œils comme femme étonnée. Toutefois, elle qui était sage, lui dit : « Puisque ainsi est, Amadour, que vous demandez de moi ce que vous en avez, pourquoi est-ce que vous me faites une si grande et longue harangue ? J'ai si grand peur que sous vos honnêtes propos il y ait quelque malice cachée pour décevoir l'ignorance jointe à ma jeunesse, que je suis en grande perplexité de vous répondre. Car, de refuser l'honnête amitié que vous m'offrez, je ferais le contraire de ce que j'ai fait jusques ici, que je me suis plus fiée en vous que en tous les hommes du monde. Ma conscience ni mon honneur ne contreviennent point à votre demande, ni l'amour que je porte au fils de l'Infant Fortuné ; car elle est fondée sur mariage, où vous ne prétendez rien. Je ne sais chose qui me doive empêcher de vous faire réponse selon votre désir, sinon une crainte que j'ai en mon cœur, fondée sur le peu d'occasion que vous avez de me tenir tels propos ; car si vous avez ce que vous demandez, qui vous contraint d'en parler si affectionnément ? »

Amadour, qui n'était sans réponse, lui dit : « Madame, vous parlez très prudemment, et me faites tant d'honneur de la fiance que vous dites avoir en moi, que si je ne me contente d'un tel bien, je suis indigne de tous les autres. Mais entendez, Madame, que celui qui veut bâtir un édifice perpétuel doit regarder à prendre un sûr et ferme fondement : parquoi, moi qui désire perpétuellement demeurer en votre service, je dois regarder non seulement les moyens pour me tenir près de vous, mais empêcher qu'on ne puisse connaître la très grande affection que je vous porte ; car combien qu'elle soit tant honnête qu'elle se puisse prêcher partout, si est-ce que ceux qui ignorent le cœur des amants ont souvent jugé contre vérité. Et de cela vient autant mauvais bruit, que si les effets étaient méchants. Ce qui me fait dire ceci, et ce qui m'a fait avancer de le vous déclarer, c'est Poline, laquelle a pris un tel soupçon sur moi, sentant bien à son cœur que je ne la puis aimer, qu'elle ne fait en tous lieux que épier ma contenance. Et quand vous venez parler à moi devant elle si privément, j'ai si grand peur de faire quelque signe où elle fonde jugement, que je tombe en inconvénient dont je me veux garder ; en sorte que j'ai pensé de vous supplier que, devant elle et devant celles que vous connaissez aussi malicieuses, vous ne veniez parler à moi ainsi soudainement ; car j'aimerais mieux être mort, que créature vivante en eût la connaissance. Et n'eût été l'amour que j'avais à votre honneur, je n'avais point proposé de vous tenir ces propos, d'autant que je me tiens assez heureux de l'amour et fiance que vous me portez, où je ne demande rien davantage que la persévérance. »

Floride, tant contente qu'elle n'en pouvait plus porter, commença en son cœur à sentir quelque chose plus qu'elle n'avait accoutumé ; et, voyant les honnêtes raisons qu'il lui allégait, lui dit que la vertu et l'honneur répondraient pour elle, et lui accorderaient ce qu'il demandait ; dont si Amadour fut joyeux, nul qui aime ne le peut douter. Mais Floride crut trop plus son conseil qu'il ne voulait ; car elle, qui était craintive non seulement devant Poline, mais en tous autres lieux, commença à ne le chercher pas comme elle avait accoutumé ; et en cet éloignement, trouva mauvais la grande fréquentation qu'Amadour avait avec Poline, laquelle elle voyait tant belle qu'elle ne pouvait croire qu'il ne l'aimât. Et pour passer sa grande tristesse, entretenait toujours Adventurade, laquelle commençait fort à être jalouse de son mari et de Poline ; et s'en plaignait souvent à Floride, qui la consolait le mieux qu'il lui était possible, comme celle qui était frappée d'une même peste. Amadour s'aperçut bientôt de la contenance de Floride, et non seulement pensa qu'elle s'éloignait de lui par son conseil, mais qu'il y avait quelque fâcheuse opinion mêlée. Et un jour, venant de vêpres d'un monastère, il lui dit : « Madame, quelle contenance me faites-vous ?

— Telle que je pense que vous la voulez », répondit Floride.

A l'heure, soupçonnant la vérité, pour savoir s'il était vrai, Amadour va dire : « Madame, j'ai tant fait par mes journées que Poline n'a plus d'opinion de vous. »

Elle lui répondit : « Vous ne sauriez mieux faire, et pour vous et pour moi ; car en faisant plaisir à vous-même, vous me faites honneur. »

Amadour jugea par cette parole qu'elle estimait qu'il prenait plaisir à parler à Poline, dont il fut désespéré, qu'il ne se put tenir de lui dire en colère : « Ha ! Madame, c'est bien tôt commencé de tourmenter un serviteur, et le lapider de bonne heure ; car je ne pense point avoir porté peine qui m'ait été plus ennuyeuse que la contrainte de parler à celle que je n'aime point. Et puisque ce que fais pour votre service est pris de vous en autre part, je ne parlerai jamais à elle ; et en advienne ce qu'il en pourra advenir ! Et enfin de dissimuler mon courroux, comme j'ai fait mon contentement, je m'en vais en quelque lieu ici auprès, en attendant que votre fantaisie soit passée. Mais j'espère que là j'aurai quelques nouvelles de mon capitaine de retourner à la guerre, où je demeurerai si longtemps, que vous connaîtrez que autre chose ne me tient en ce lieu. »

Et en ce disant, sans attendre autre réponse d'elle, partit incontinent. Floride demeura tant ennuyée et triste qu'il n'était possible de plus. Et commença l'amour, poussé de son contraire, à montrer sa très grande force, tellement que elle, connaissant son tort, écrivait incessamment à Amadour, le priant de vouloir retourner ; ce qu'il fit après quelques jours, que sa grande colère lui était diminuée.

Je ne saurais entreprendre de vous conter par le menu les propos qu'ils eurent pour rompre cette jalousie. Toutefois il gagna la bataille, tant qu'elle lui promit que jamais elle ne croyait non seulement qu'il aimât Poline, mais qu'elle serait toute assurée que ce lui était un martyre importable de parler à elle ou à autre, sinon pour lui faire service.

Après que l'amour eut vaincu ce premier soupçon, et que les deux amants commencèrent à prendre plus de plaisir que jamais à parler ensemble, les nouvelles vinrent que le roi d'Espagne envoyait toute son armée à Salces. Parquoi celui qui avait accoutumé d'y être le premier, n'avait garde de faillir à pourchasser son honneur ; mais il est vrai que c'était avec un autre regret, qu'il n'avait accoutumé, tant de perdre son plaisir qu'il avait que de peur de trouver mutation à son retour, pource qu'il voyait Floride pourchassée de grands princes et seigneurs, et déjà parvenue à l'âge de quinze ou seize ans ; parquoi pensa que si elle était en son absence mariée, il n'aurait plus d'occasion de la voir, sinon que la comtesse d'Arande lui donnât Adventurade, sa femme, pour compagnie. Et mena si bien son affaire envers ses amis que la comtesse et Floride lui promirent que, en quelque lieu qu'elle fût mariée, sa femme Adventurade irait. Et combien qu'il fût question à l'heure de marier Floride en Portugal, si était-il délibéré qu'elle ne l'abandonnerait jamais ; et sur cette assurance, non sans un regret indicible, s'en partit Amadour, et laissa sa femme avec la comtesse. Quand Floride se trouva seule après le département de son bon serviteur, elle se met à faire toutes choses si bonnes et vertueuses qu'elle espérait par cela éteindre le bruit des plus parfaites dames, et d'être réputée digne d'avoir un tel serviteur que Amadour.

Lequel, étant arrivé à Barcelone, fut festoyé des dames comme il avait accoutumé ; mais elle le trouvèrent tant changé, qu'ils n'eussent jamais pensé que mariage eût telle puissance sur un homme qu'il avait sur lui ; car il semblait qu'il se fâchait de voir les choses que autrefois il avait désirées ; et même la comtesse de Palamos, qu'il avait tant aimée, ne sut trouver moyen de le faire aller seulement jusques en son logis, qui fut cause qu'Amadour arrêta à Barcelone le moins qu'il lui fut possible, comme celui à qui l'heure tardait d'être au lieu où l'honneur se peut acquérir. Et arrivé qu'il fut à Salces, commença la guerre grande et cruelle entre les deux rois, laquelle ne suis délibéré de raconter, ni aussi les beaux faits que fit Amadour, car mon conte serait assez long pour employer toute une journée. Mais sachez qu'il emportait le bruit par-dessus tous ses compagnons. Le duc de Nagères arriva à Perpignan, ayant charge de deux mille hommes, et pria Amadour d'être son lieutenant, lequel avec cette bande fit tant bien son devoir, que l'on n'oyait en toutes les escarmouches crier que *Nagères* !

Or advint que le roi de Tunis, qui de longtemps faisait la guerre aux Espagnols, entendit comme les rois de France et d'Espagne faisaient la guerre guerroyable sur les frontières de Perpignan et Narbonne ; se pensa que en meilleure saison ne pourrait-il faire déplaisir au roi d'Espagne, et envoya un grand nombre de fûtes et autres vaisseaux pour piller et détruire tout ce qu'ils pourraient trouver mal gardé sur les frontières d'Espagne. Ceux de Barcelone, voyant passer devant eux une grande quantité de voiles, en avertirent le Vice-roi, qui était à Salces, lequel incontinent envoya le duc de Nagères à Palamos. Et quand les Maures virent que le lieu était si bien gardé, feignirent de passer outre ; mais sur l'heure de minuit, retournèrent et mirent tant de gens en terre que le duc de Nagères, surpris de ses ennemis, fut emmené prisonnier. Amadour, qui était fort vigilant, entendit le bruit, assembla incontinent le plus grand nombre qu'il put de ses gens, et se défendit si bien que la force de ses ennemis fut longtemps sans lui pouvoir nuire. Mais à la fin, sachant que le duc de Nagères était pris, et que les Turcs étaient délibérés de mettre le feu à Palamos, et le brûler en la maison qu'il tenait forte contre eux, aima mieux se rendre que d'être cause de la perdition des gens de bien qui étaient en sa compagnie ; et aussi que, se mettant à rançon, espérerait encore revoir Floride. A l'heure se rendit à un Turc nommé Dorlin, gouverneur du roi de Tunis, lequel le mena à son maître, où il fut le très bien reçu et encore mieux gardé ; car il pensait bien, l'ayant entre ses mains, avoir l'Achille de toutes les Espagnes.

Ainsi demeura Amadour près de deux ans au service du roi de Tunis. Les nouvelles vinrent en Espagne de cette prise, dont les parents du duc de Nagères firent un grand deuil ; mais ceux qui aimaient l'honneur du pays estimèrent plus grande la perte de Amadour. Le bruit en vint dans la maison de la comtesse d'Arande, où pour l'heure était la pauvre Adventurade grièvement malade. La comtesse, qui se doutait bien fort de l'affection que Amadour portait à sa fille, laquelle elle souffrait et dissimulait pour les vertus qu'elle connaissait en lui, appela sa fille à part et lui dit les piteuses nouvelles. Floride, qui savait bien dissimuler, lui dit que c'était grande perte pour toute leur maison, et que surtout elle avait pitié de sa pauvre femme, vu mêmement la maladie où elle était. Mais voyant sa mère pleurer très fort, laissa aller quelques larmes pour lui tenir compagnie, afin que, par trop feindre, sa feinte ne fût découverte. Depuis cette heure-là, la comtesse lui en parlait souvent, mais jamais ne sut tirer contenance où elle pût asseoir jugement. Je laisserai à dire les voyages, prières, oraisons et jeûnes que faisait ordinairement Floride pour le salut de Amadour ; lequel, incontinent qu'il fut à Tunis, ne faillit d'envoyer de ses nouvelles à ses amis, et par homme fort sûr, avertir Floride qu'il était en bonne santé et espoir de la revoir : qui fut à la pauvre dame le seul moyen de soutenir son ennui. Et ne doutez, puisqu'il lui était permis d'écrire, qu'elle s'en acquitta si diligemment, que Amadour n'eut point faute de la consolation de ses lettres et épîtres.

Or fut mandée la comtesse d'Arande pour aller

à Saragosse, où le Roi était arrivé ; et là se trouva le jeune duc de Cardonne, qui fit si grande poursuite envers le Roi et la Reine, qu'ils prièrent la comtesse de faire le mariage de lui et de sa fille. La comtesse, comme celle qui en rien ne leur voulait désobéir, l'accorda, estimant que en sa fille, qui était si jeune, n'y avait volonté que la sienne. Quand l'accord fut fait, elle dit à sa fille comme elle lui avait choisi le parti qui lui semblait le plus nécessaire. La fille, sachant que en une chose faite ne fallait point de conseil, lui dit que Dieu fût loué du tout ; et voyant sa mère si étrange envers elle, aima mieux lui obéir que d'avoir pitié de soi-même. Et pour la réjouir de tant de malheurs, entendit que l'Infant Fortuné était malade à la mort ; mais jamais, devant sa mère ni nul autre, n'en fit un seul semblant, et se contraignit si fort, que les larmes, par force retirées en son cœur, firent sortir le sang par le nez en telle abondance que la vie fut en danger quant et quant ; et pour la restaurer, épousa celui qu'elle eût volontiers changé à la mort. Après les noces faites, s'en alla Floride avec son mari en la duché de Cardonne, et mena avec elle Adventurade, à laquelle elle faisait privément ses complaintes, tant de la rigueur que sa mère lui avait tenue, que du regret d'avoir perdu le fils de l'Infant Fortuné ; mais du regret d'Amadour, ne lui en parlait que par manière de la consoler. Cette jeune dame donc se délibéra de mettre

Dieu et l'honneur devant ses œils, et dissimula si bien ses ennuis, que jamais nul des siens ne s'aperçut que son mari lui déplût.

Ainsi passa un long temps Floride, vivant d'une vie moins belle que la mort ; ce qu'elle ne faillit de mander à son serviteur Amadour, lequel, connaissant son grand et honnête cœur, et l'amour qu'elle portait au fils de l'Infant Fortuné, pensa qu'il était impossible qu'elle sût vivre longuement, et la regretta comme celle qu'il tenait pis que morte. Cette peine augmenta celle qu'il avait ; et eût voulu demeurer toute sa vie esclave comme il était, et que Floride eût eu un mari selon son désir, oubliant son mal pour celui qu'il sentait que portait s'amie. Et pour ce qu'il entendit, par un ami qu'il avait à la cour du roi de Tunis, que le roi était délibéré de lui faire présenter le pal, ou qu'il eût à renoncer sa foi, pour l'envie qu'il avait, s'il le pouvait rendre bon Turc, de le tenir avec lui, il fit tant avec le maître qui l'avait pris, qu'il le laissa aller sur sa foi, le mettant à si grande rançon qu'il ne pensait point que un homme de si peu de biens la pût trouver. Ainsi, sans en parler au roi, le laissa son maître aller sur sa foi.

Lui, venu à la cour devers le roi d'Espagne, s'en partit bientôt pour aller chercher sa rançon à tous ses amis ; et s'en alla tout droit à Barcelone, où le jeune duc de Cardonne, sa mère et Floride étaient allés pour quelque affaire. Sa femme Adventurade, sitôt qu'elle ouït les nouvelles que son mari était revenu, le dit à Floride, laquelle s'en réjouit comme pour l'amour d'elle. Mais craignant que la joie qu'elle avait de le voir lui fît changer de visage, et que ceux qui ne la connaissaient point en prissent mauvaise opinion, se tint à une fenêtre, pour le voir venir de loin. Et si tôt qu'elle l'avisa, descendit par un escalier tant obscur que nul ne pouvait connaître si elle changeait de couleur ; et ainsi, embrassant Amadour, le mena en sa chambre, et de là à sa belle-mère, qui ne l'avait jamais vu. Mais il n'y demeura point deux jours qu'il se fit autant aimer dans leur maison qu'il était en celle de la comtesse d'Arande.

Je vous laisserai les propos que Floride et lui purent avoir ensemble, et les complaintes qu'elle fit des maux qu'elle avait reçus en son absence. Après plusieurs larmes jetées du regret qu'elle avait, tant d'être mariée contre son cœur que d'avoir perdu celui qu'elle aimait tant, lequel jamais n'espérait de revoir, se délibéra de prendre sa consolation en l'amour et sûreté qu'elle portait à Amadour, ce que toutefois elle ne lui osait déclarer ; mais lui, qui s'en doutait bien, ne perdait occasion ni temps pour lui faire connaître la grande amour qu'il lui portait. Sur le point qu'elle était presque toute gagnée de le recevoir, non à serviteur, mais à sûr et parfait ami, arriva une malheureuse fortune ; car le Roi, pour quelque affaire d'importance, manda incontinent Amadour; dont sa femme eut si grand regret que, en oyant ces nouvelles, elle s'évanouit, et tomba d'un degré où elle était, dont elle se blessa si fort, que oncques puis n'en releva. Floride, qui par cette mort perdait toute consolation, fit tel deuil que peut faire celle qui se sent destituée de ses parents et amis. Mais encore le prit plus mal en gré Amadour; car d'un côté il perdait l'une des femmes de bien qui oncques fut, et de l'autre, le moyen de pouvoir jamais revoir Floride; dont il tomba en telle tristesse qu'il cuida soudainement mourir. La vieille duchesse de Cardonne incessamment le visitait, lui alléguant les raisons des philosophes pour lui faire porter cette mort patiemment. Mais rien ne servait; car si la mort d'un côté le tourmentait, l'amour, de l'autre côté, augmentait le martyre. Voyant Amadour que sa femme était enterrée, et que son maître le mandait, parquoi il n'avait plus occasion de demeurer, eut tel désespoir en son cœur qu'il cuida perdre l'entendement.

Floride, qui en le cuidant consoler était sa désolation, fut toute une après-dînée à lui tenir les plus honnêtes propos qu'il lui fut possible, pour lui cuider diminuer la grandeur de son deuil, l'assurant qu'elle trouverait moyen de le pouvoir voir plus souvent qu'il ne cuidait. Et pour ce que le matin devait partir, et qu'il était si faible qu'il ne se pouvait bouger de dessus son lit, la supplia de le venir voir au soir, après que chacun y aurait été ; ce qu'elle lui promit, ignorant que l'extrémité de l'amour ne connaît nulle raison. Lui, qui se voyait du tout désespéré de jamais la pouvoir recevoir, que si longuement l'avait servie et n'en avait jamais eu nul autre traitement que vous avez ouï, fut tant combattu de l'amour dissimulé et du désespoir qui lui montrait tous les moyens de la hanter perdus, qu'il se délibéra de jouer à quitte ou à double, pour du tout la perdre ou du tout la gagner, et se payer en une heure du bien qu'il pensait avoir mérité. Il fit encourtiner son lit, de sorte que ceux qui venaient à la chambre ne le pouvaient voir, et se plaignit beaucoup plus qu'il n'avait accoutumé, tant que tous ceux de cette maison ne pensaient pas qu'il dût vivre vingt-quatre heures.

Après que chacun l'eut visité au soir, Floride, à la requête même de son mari, y alla, espérant pour le consoler lui déclarer son affection, et que du tout elle le voulait aimer, ainsi que l'honneur le peut permettre. Et se vint seoir en une chaise qui était au chevet de son lit, et commença son réconfort par pleurer avec lui. Amadour, la voyant remplie de tel regret, pensa que en ce grand moment pourrait plus facilement venir à bout de son intention, et se leva de dessus son lit ; dont Floride, pensant qu'il fût trop faible, le voulut engarder. Et se mit à deux genoux devant elle, et en lui disant : « Faut-il que pour jamais je vous perde de vue ? », se laissa tomber entre ses bras, comme un homme à qui force défaut. La pauvre Floride l'embrassa et le soutint longuement, faisant tout ce qui lui était possible pour le consoler ; mais la médecine qu'elle lui baillait, pour amender sa douleur, la lui rendait beaucoup plus forte ; car en faisant le demi-mort et sans parler s'essaya à chercher ce que l'honneur des dames défend. Quand Floride s'aperçut de sa mauvaise volonté, ne la pouvait croire, vu les honnêtes propos que toujours lui avait tenus ; lui demanda que c'était qu'il voulait ; mais Amadour, craignant d'ouïr sa réponse, qu'il savait bien ne pouvoir être que chaste et honnête, sans lui dire rien, poursuivit, avec toute la force qu'il lui fut possible, ce qu'il cherchait : dont Floride, bien étonnée, soupçonna plutôt qu'il fût hors de son sens, que de croire qu'il prétendît à son déshonneur. Parquoi elle appela tout haut un gentilhomme qu'elle savait bien être en la chambre avec elle ; dont Amadour, désespéré jusqu'au bout, se rejeta dessus son lit si soudainement que le gentilhomme cuidait qu'il fût trépassé.

Floride, qui s'était levée de sa chaise, lui dit : « Allez, et apportez vitement quelque bon vinaigre. »

Ce que le gentilhomme fit. A l'heure, Floride commença à dire : « Amadour, quelle folie est montée en votre entendement ? Et qu'est-ce qu'avez pensé et voulu faire ? »

Amadour, qui avait perdu toute raison par la force d'amour, lui dit : « Un si long service mérite-t-il récompense de telle cruauté ?

— Et où est l'honneur, dit Floride, que tant de fois vous m'avez prêché ?

— Ah, Madame, dit Amadour, il n'est possible de plus aimer pour votre honneur que je fais ; car quand vous avez été à marier, j'ai su si bien vaincre mon cœur, que vous n'avez su connaître ma volonté ; mais maintenant que vous l'êtes, et que votre honneur peut être couvert, quel tort vous tiens-je de demander ce qui est mien ? Car par la force d'amour je vous ai gagnée. Celui qui premier a eu votre cœur a si mal poursuivi le corps qu'il a mérité de perdre le tout ensemble. Celui qui possède votre corps n'est pas digne d'avoir votre cœur : parquoi même le corps ne lui appartient, mais moi, Madame, qui durant cinq ou six ans ai porté tant de peines et de maux pour vous, que vous ne pouvez ignorer que à moi seul appartiennent le corps et le cœur pour lequel j'ai oublié le mien. Et si vous vous cuidez défendre par la conscience, ne doutez point que quand l'amour force le corps et le cœur, le péché soit jamais imputé. Ceux qui, par fureur même viennent à se tuer, ne peuvent pécher quoi qu'ils fassent ; car la passion ne donne lieu à la raison. Et si la passion d'amour est la plus importable de tous les autres, et celle qui plus aveugle tous les sens, quel péché voudriez-vous attribuer à celui qui se laisse conduire par une invincible puissance ? Je m'en vais, et n'espère jamais de vous voir. Mais si j'avais avant mon partement la sûreté de vous que ma grande amour mérite, je serais assez fort pour soutenir en patience les ennuis de cette longue absence. Et s'il ne vous plaît m'octroyer ma requête, vous orrez bientôt dire que votre rigueur m'aura donné une malheureuse et cruelle mort. »

Floride, non moins marrie que étonnée de ouïr tenir tels propos à celui duquel jamais n'eût eu soupçon de chose semblable, lui dit en pleurant : « Hélas ! Amadour, sont-ce ici les vertueux propos que durant ma jeunesse m'avez tenus ? Est-ce ci l'honneur et la conscience que vous m'avez maintes fois conseillé plutôt mourir que de perdre mon âme ? Avez-vous oublié les bons exemples que vous m'avez donnés des vertueuses dames qui ont résisté à la folle amour, et le dépris que vous avez toujours fait des folles ? Je ne puis croire, Amadour, que vous soyez si loin de vous-même, que Dieu, votre conscience et mon honneur soient du tout morts en vous.

« Mais si ainsi est que vous le dites, je loue la Bonté divine, qui a prévenu le malheur où maintenant je m'allais précipiter, en me montrant par votre parole le cœur que j'ai tant ignoré. Car ayant perdu le fils de l'Infant Fortuné, non seulement pour être marié ailleurs, mais pource que je sais qu'il en aime une autre, et me voyant mariée à celui que je ne puis, quelque peine que je y mette, aimer et avoir agréable, j'avais pensé et délibéré de entièrement et du tout mettre mon cœur et mon affection à vous aimer, fondant cette amitié sur la vertu que j'ai tant connue en vous, et laquelle, par votre moyen, je pense avoir atteinte : c'est d'aimer plus mon honneur et ma conscience que ma propre vie. Sur cette pierre d'honnêteté, j'étais venue ici, délibérée de y prendre un très sûr fondement ; mais, Amadour, en un moment, vous m'avez montré que en lieu d'une pierre nette et pure, le fondement de cet édifice serait sur sablon léger ou sur la fange infâme. Et combien que déjà j'avais commencé grande partie du logis où j'espérais faire perpétuelle demeure, vous l'avez soudain du tout ruiné. Parquoi il faut que vous vous déportiez de l'espérance que avez jamais eue en moi, et vous délibériez, en quelque lieu que je sois, ne me chercher ni par parole ni par contenance, ni espérer que je puisse ou veuille jamais changer cette opinion. Je le vous dis avec tel regret qu'il ne peut être plus grand ; mais si je fusse venue jusques à avoir juré parfaite amitié avec vous, je sens bien mon cœur tel qu'il fût mort en cette rompture ; combien que l'étonnement que j'ai de me voir déçue est si grand, que je suis sûre qu'il rendra ma vie ou brève ou douloureuse. Et sur ce mot, je vous dis adieu, mais c'est pour jamais ! »

Je n'entreprends point vous dire la douleur que sentait Amadour écoutant ces paroles ; car elle n'est seulement impossible à écrire, mais à penser, sinon à ceux qui ont expérimenté la pareille. Et voyant que sur cette cruelle conclusion elle s'en allait, l'arrêta par le bras, sachant très bien que s'il ne lui ôtait la mauvaise opinion qu'il lui avait donnée, à jamais il la perdrait. Parquoi il lui dit avec le plus feint visage qu'il put prendre :

« Madame, j'ai toute ma vie désiré d'aimer une femme de bien ; et pour ce que j'en ai trouvé si peu, j'ai bien voulu vous expérimenter, pour voir si vous étiez par votre vertu digne d'être autant estimée que aimée. Ce que maintenant je sais certainement, dont je loue Dieu, qui adresse mon cœur à aimer tant de perfection ; vous suppliant me pardonner cette folle et audacieuse entreprise, puisque vous voyez que la fin en tourne à votre honneur et à mon grand contentement. »

Floride, qui commençait à connaître la malice des hommes par lui, tout ainsi qu'elle avait été difficile à croire le mal où il était, ainsi fut-elle, et encore plus, à croire le bien où il n'était pas, et lui dit : « Plût à Dieu que eussiez dit la vérité ! Mais je ne puis être si ignorante, que l'état du mariage où je suis ne me fasse connaître clairement que forte passion et aveuglée vous a fait faire ce que vous avez fait. Car si Dieu m'eût lâché la main, je suis sûre que vous ne m'eussiez pas retiré la bride.

Ceux qui tentent pour chercher la vertu ne sauraient prendre le chemin que vous avez pris. Mais c'est assez : si j'ai cru légèrement quelque bien en vous, il est temps que j'en connaisse la vérité, laquelle maintenant me délivre de vos mains. »

Et en ce disant, se partit Floride de la chambre, et tant que la nuit dura, ne fit que pleurer, sentant si grande douleur en cette mutation, que son cœur avait bien à faire à soutenir les assauts du regret que amour lui donnait. Car combien que selon la raison elle était délibérée de jamais plus l'aimer, si est-ce que le cœur, qui n'est point sujet à nous, ne s'y voulut oncques accorder : parquoi, ne le pouvant moins aimer qu'elle avait accoutumé, sachant qu'amour était cause de cette faute, se délibéra, satisfaisant à l'amour, de l'aimer de tout son cœur, et, obéissant à l'amour, n'en faire jamais à lui ni à autre semblant.

Le matin s'en partit Amadour, ainsi fâché que vous avez ouï ; toutefois son cœur, qui était si grand qu'il n'avait au monde son pareil, ne le souffrit désespérer, mais lui bailla nouvelle invention de revoir encore Floride et avoir sa bonne grâce. Donc, en s'en allant devers le roi d'Espagne, lequel était à Tolède, prit son chemin par la comté d'Arande, où un soir bien tard il arriva ; et trouva la comtesse fort malade d'une tristesse qu'elle avait de l'absence de sa fille Floride. Quand elle vit Amadour, elle le baisa et embrassa, comme si ce eût été son propre enfant, tant pour l'amour qu'elle lui portait, que pour celle qu'elle doutait qu'il avait à Floride, de laquelle elle luï demanda bien soigneusement des nouvelles; qui lui en dit le mieux qu'il lui fut possible, mais non toute la vérité, et lui confessa l'amitié d'eux deux, ce que Floride avait toujours celé, la priant lui vouloir aider d'avoir souvent de ses nouvelles, et de retirer bientôt Floride avec elle. Et dès le matin s'en partit; et après avoir fait ses affaires avec le Roi, s'en alla à la guerre, si triste et si changé de toutes conditions, que dames, capitaines et tous ceux qui l'avaient accoutumé de hanter, ne le connaissaient plus. Il ne se habillait que de noir, mais c'était d'une frise beaucoup plus grosse qu'il ne la fallait pour porter le deuil de sa femme, duquel il couvrait celui qu'il avait au cœur. Et ainsi passa Amadour trois ou quatre années, sans revenir à la cour. Et la comtesse d'Arande, qui ouït dire que Floride était changée, et que c'était pitié de la voir, l'envoya quérir, espérant qu'elle reviendrait auprès d'elle. Mais ce fut le contraire; car quand Floride entendit que Amadour avait déclaré à sa mère leur amitié, et que sa mère, tant sage et vertueuse, se confiant à Amadour, la trouva bonne, fut en une merveilleuse perplexité, pource que d'un côté elle voyait qu'elle l'estimait tant, que, si elle lui disait la vérité, Amadour en pourrait recevoir mal; ce que pour mourir n'eût voulu, vu qu'elle se sentait assez forte pour le punir de sa folie, sans y appeler ses parents ; d'autre côté, elle voyait que dissimulant le mal que elle y savait, elle serait contrainte de sa mère et de tous ses amis de parler à lui et lui faire bonne chère, par laquelle elle craignait fortifier sa mauvaise opinion. Mais voyant qu'il était loin, ne fit grand semblant, et lui écrivait quand la comtesse le lui commandait ; toutefois c'étaient lettres qu'il pouvait bien connaître venir plus d'obéissance que de bonne volonté ; dont il était autant ennuyé en les lisant qu'il avait accoutumé se réjouir des premières.

Au début de deux ou trois ans, après avoir fait tant de belles choses que tout le papier d'Espagne ne les saurait soutenir, imagina une invention très grande, non pour gagner le cœur de Floride, car il le tenait pour perdu, mais pour avoir la victoire de son ennemie, puisque telle se faisait contre lui. Il mit arrière tout le conseil de la raison, et même la peur de la mort, dont il mettait en hasard sa pensée conclute et délibérée. Or fit tant envers le grand gouverneur, qu'il fut par lui député pour venir parler au Roi de quelque entreprise secrète qui se faisait sur Leucate ; et se fit commander de communiquer son entreprise à la comtesse d'Arande, avant que la déclarer au Roi, pour en prendre son bon conseil. Et vint en poste tout droit en la comté d'Arande, où il savait qu'était Floride, et envoya secrètement à la comtesse un sien ami lui déclarer sa venue, lui priant la tenir secrète, et qu'il pût parler à elle la nuit, sans que personne en sût rien.

La comtesse, fort joyeuse de sa venue, le dit à Floride, et l'envoya déshabiller en la chambre de son mari, afin qu'elle fût prête quand elle la manderait et que chacun fut retiré. Floride, qui n'était pas encore assurée de sa première peur, n'en fit semblant à sa mère, mais s'en alla en un oratoire se recommander à Notre Seigneur, et lui priant vouloir conserver son cœur de toute méchante affection, pensa que souvent Amadour l'avait louée de sa beauté, laquelle n'était point diminuée, nonobstant qu'elle eût été longuement malade; parquoi aimant mieux faire tort à son visage, en le diminuant, que de souffrir par elle le cœur d'un si honnête homme brûler d'un si méchant feu, prit une pierre qui était en la chapelle, et s'en donna par le visage un si grand coup que la bouche, le nez et les œils en étaient tout difformés. Et afin que l'on ne soupçonnât qu'elle l'eût fait, quand la comtesse l'envoya quérir, se laissa tomber en sortant de la chapelle le visage contre terre et en criant bien haut. Arriva la comtesse, qui la trouva en ce piteux état, et incontinent fut pansée et bandée par tout le visage.

Après la comtesse la mena en sa chambre, et lui dit qu'elle la priait d'aller en son cabinet entretenir Amadour, jusques à ce qu'elle se fût défaite de toute sa compagnie ; ce que fit Floride, pensant qu'il y eût quelques gens avec lui. Mais se trouvant toute seule, la porte fermée sur elle, fut autant marrie que Amadour content, pensant que par amour ou par force, il aurait ce qu'il avait tant désiré. Et après avoir parlé à elle, et l'avoir trouvée au même propos en quoi il l'avait laissée, et que pour mourir elle ne changerait son opinion, lui dit, tout outré de désespoir : « Par Dieu, Floride ! le fruit de mon labeur ne me sera point ôté par vos scrupules ; car, puisque amour, patience et humble prière ne servent de rien, je n'épargnerai point ma force pour acquérir le bien qui, sans l'avoir, me la ferait perdre. »

Et quand Floride vit son visage et ses œils tant altérés que le plus beau teint du monde était rouge comme feu, et le plus doux et puissant regard si horrible et furieux qu'il semblait que un feu très ardent étincelât dans son cœur et son visage, en cette fureur, d'une de ses fortes et puissantes mains prît les deux délicates et faibles de Floride. Mais elle, voyant que toute défense lui défaillait, et que pieds et mains étaient tenus en telle captivité, qu'elle ne pouvait fuir, encore moins se défendre, ne sut quel meilleur remède trouver, sinon chercher s'il n'y avait point encore en lui quelque racine de la première amour, pour l'honneur de laquelle il oubliât sa cruauté ; parquoi elle lui dit : « Amadour, si maintenant vous m'estimez comme ennemie, je vous supplie, par l'honnête amour que j'ai autrefois pensé être en votre cœur, me vouloir écouter avant que me tourmenter ! »

Et quand elle vit qu'il lui prêtait l'oreille, poursuivit son propos, disant : « Hélas, Amadour, quelle occasion vous meut de chercher une chose dont vous ne pouvez avoir contentement, et me donner ennui le plus grand que je saurais recevoir ? Vous avez tant expérimenté ma volonté, du temps de ma jeunesse et de ma plus grande beauté, sur quoi votre passion pouvait prendre excuse, que je m'ébahis que en l'âge et grande laideur où je suis, outrée d'extrême ennui, vous cherchez ce que vous savez ne pouvoir trouver. Je suis sûre que vous ne doutez point que ma volonté ne soit telle qu'elle a accoutumé ; parquoi ne pouvez avoir que par force ce que vous demandez. Et si vous regardez comme mon visage est accoutré, en oubliant la mémoire du bien que vous y avez eu, n'aurez point envie d'en approcher de plus près. Et s'il y a encore en vous quelques reliques de l'amour passé, il est impossible que la pitié ne vainque votre fureur. Et à icelle que j'ai tant expérimentée en vous, je fais ma plainte et demande grâce, afin que vous me laissiez vivre en paix et en l'honnêteté que selon votre conseil j'ai délibéré garder. Et si l'amour que vous m'avez portée est convertie en haine, et que plus par vengeance que par affection vous veuillez me faire la plus malheureuse femme du monde, je vous assure qu'il n'en sera pas ainsi, et me contraindrez contre ma délibération de déclarer votre méchante volonté à celle qui croit tant de bien de vous ; et en cette connaissance, pouvez penser que votre vie ne serait pas en sûreté. »

Amadour, rompant son propos, lui dit : « S'il me faut mourir, je serai plus tôt quitte de mon tourment ; mais la difformité de votre visage, que je pense être faite de votre volonté, ne m'empêchera point de faire la mienne ; car quand je ne pourrais avoir de vous que les os, si les voudrais-je tenir auprès de moi. »

Et quand Floride vit que prières, raisons ni larmes ne lui servaient, et que en telle cruauté poursuivait son méchant désir, qu'elle n'avait enfin force de y résister, se aida du secours qu'elle craignait autant que perdre sa vie, et d'une voix triste et piteuse, appela sa mère le plus haut qu'il lui fut possible. Laquelle oyant sa fille l'appeler d'une telle voix, eut merveilleusement grand peur de ce qui était véritable, et courut le plus tôt qu'il lui fut possible en la garde-robe. Amadour, qui n'était si prêt à mourir qu'il disait, laissa de si bonne heure son entreprise que la dame, ouvrant le cabinet, le trouva à la porte, et Floride assez loin de là.

La comtesse lui demanda : « Amadour, qu'y a-t-il ? Dites-moi la vérité. »

Et comme celui qui n'était jamais dépourvu d'inventions, avec un visage pâle et transi, lui dit :

« Hélas, Madame, de quelle condition est devenue madame Floride ? Je ne fus jamais si étonné que je suis ; car, comme je vous ai dit, je pensais avoir part en sa bonne grâce ; mais je connais bien que n'y ai plus rien. Il me semble, Madame, que du temps qu'elle était nourrie avec vous, elle n'était moins sage ni vertueuse qu'elle est ; mais elle ne faisait point de conscience de parler et voir un chacun ; et maintenant que je l'ai voulue regarder, elle ne l'a voulu souffrir. Et quand j'ai vu cette contenance, pensant que ce fût un songe ou une rêverie, lui ai demandé sa main pour la baiser à la façon du pays, ce qu'elle m'a du tout refusé. Il est vrai, madame, que j'ai eu tort, dont je vous demande pardon : c'est que je lui ai pris la main par force, et la lui ai baisée, ne lui demandant autre contentement ; mais elle, qui a, comme je crois, délibéré ma mort, vous a appelée, ainsi comme vous avez vu. Je ne saurais dire pourquoi, sinon qu'elle ait eu peur que j'eusse autre volonté que je n'ai. Toutefois, Madame, en quelque sorte que ce soit, j'avoue le tort être mien ; car combien qu'elle devrait aimer tous vos bons serviteurs, la fortune veut que moi seul plus affectionné sois mis hors de sa bonne grâce. Si est-ce que je demeurerai toujours tel envers vous et elle que je suis tenu, vous suppliant me vouloir tenir en la vôtre, puisque, sans mon démérite, j'ai perdu la sienne. »

La comtesse, qui en partie le croyait et en partie doutait, s'en alla à sa fille et lui dit : « Pourquoi m'avez-vous appelée si haut ? »

Floride répondit qu'elle avait eu peur. Et combien que la comtesse l'interrogeât de plusieurs choses par le menu, si est-ce que jamais ne lui fit autre réponse ; car voyant qu'elle était échappée d'entre les mains de son ennemi, le tenait assez puni de lui avoir rompu son entreprise.

Après que la comtesse eut longuement parlé à Amadour, le laissa encore devant elle parler à Floride, pour voir quelle contenance il tiendrait ; à laquelle il ne tint pas grands propos, sinon qu'il la mercia de ce qu'elle n'avait confessé vérité à sa mère, et la pria que, au moins, puisqu'il était hors de son cœur, un autre ne tînt point sa place. Elle lui répondit, quant au premier propos : « Si j'eusse eu autre moyen de me défendre de vous que par la voix, elle n'eût jamais été ouïe ; mais par moi vous n'aurez pis, si vous ne me y contraignez comme vous avez fait. Et n'ayez pas peur que j'en susse aimer d'autre ; car puisque je n'ai trouvé au cœur que je savais le plus vertueux du monde le bien que je désirais, je ne croirai point qu'il soit en nul homme. Ce malheur sera cause que je serai, pour l'avenir, en liberté des passions que l'amour peut donner. » En ce disant, prit congé d'elle.

La mère, qui regardait sa contenance, n'y sut rien juger. Depuis ce temps-là, connut très bien que sa fille n'avait plus d'affection à Amadour, et pensa pour certain qu'elle fût si déraisonnable qu'elle haît toutes les choses qu'elle aimait. Et, dès cette heure-là, lui mena la guerre si étrange, qu'elle fut sept ans sans parler à elle, si elle ne s'y courrouçait, et tout à la requête d'Amadour. Durant ce temps-là, Floride tourna la crainte qu'elle avait d'être avec son mari en volonté de n'en bouger, pour les rigueurs que lui tenait sa mère. Mais, voyant que rien ne lui servait, délibéra de tromper Amadour ; et laissant pour un jour ou deux son visage étrange, lui conseilla de tenir propos d'amitié à une femme qu'elle disait avoir parlé de leur amour. Cette dame demeurait avec la reine d'Espagne, et avait nom Lorette. Amadour la crut, et pensant par ce moyen retourner encore en sa bonne grâce, fit l'amour à Lorette, qui était femme d'un capitaine, lequel était des grands gouverneurs du roi d'Espagne. Lorette, bien aise d'avoir gagné un tel serviteur, en fit tant de mines que le bruit en courut partout ; et même la comtesse d'Arande, étant à la cour, s'en aperçut : parquoi depuis ne tourmentait tant Floride qu'elle avait accoutumé. Floride ouït un jour dire que le capitaine mari de Lorette était entré en une si grande jalousie qu'il avait délibéré, en quelque sorte que ce fût, de tuer Amadour ; et elle, qui nonobstant son dissimulé visage, ne pouvait vouloir mal à Amadour, l'en avertit incontinent. Mais lui, qui facilement fût retourné à ses premières brisées, lui répondit s'il lui plaisait l'entretenir trois heures tous les jours, que jamais il ne parlerait à Lorette, ce qu'elle ne voulut accorder. « Donc, ce lui dit Amadour, puisque ne me voulez faire vivre, pourquoi me voulez-vous garder de mourir ? Sinon que vous espérez me tourmenter plus en vivant que mille morts ne sauraient faire. Mais combien que la mort me fuie, si la chercherai-je tant que je la trouverai ; car en ce jour-là seulement j'aurai repos. »

Durant qu'ils étaient en ces termes, vint nouvelles que le roi de Grenade commençait une grande guerre contre le roi d'Espagne, tellement que le Roi y envoya le prince son fils, et avec lui le connétable de Castille et le duc d'Albe, deux vieux et sages seigneurs. Le duc de Cardonne et le comte d'Arande ne voulurent pas demeurer et supplièrent au Roi leur donner quelque charge ; ce qu'il fit selon leurs maisons, et leur bailla, pour les conduire sûrement, Amadour, lequel durant la guerre fit des actes si étranges que semblaient autant de désespoir que de hardiesse.

Et pour venir à l'intention de mon conte, je vous dirai que sa trop grande hardiesse fut éprouvée par la mort ; car ayant les Maures fait démonstration de donner la bataille, voyant l'armée des chrétiens si grande, firent semblant de fuire. Les Espagnols se mirent à la chasse ; mais le vieux connétable et le duc d'Albe, se doutant de leurs finesses, retinrent contre sa volonté le prince d'Espagne, qu'il ne passât la rivière; ce que firent, nonobstant la défense, le comte d'Arande et le duc de Cardonne. Et quand les Maures virent qu'ils n'étaient suivis que de peu de gens, se retournèrent, et d'un coup de cimeterre abatirent tout mort le duc de Cardonne, et fut le comte d'Arande si fort blessé que l'on le laissa comme tout mort en la place. Amadour arriva sur cette défaite, tant enragé et furieux qu'il rompit toute la presse; et fit prendre les deux corps qu'il estimait morts pour les porter au camp du prince, lequel en eut autant de regret que de ses propres frères. Mais en visitant leurs plaies, se trouva le comte d'Arande encore vivant, lequel fut envoyé en une litière en sa maison, où il fut longuement malade. Amadour, ayant fait son effort de retirer ces deux corps, pensa si peu pour lui qu'il se trouva environné d'un grand nombre de Maures; et lui, qui ne voulait non plus être pris qu'il n'avait su prendre s'amie, ni fausser sa foi envers Dieu, qu'il avait faussée envers elle, sachant que s'il était mené au roi de Grenade, il mourrait cruellement ou renoncerait la chrétienté, délibéra ne donner la gloire ni de sa mort ni de sa prise à ses ennemis, et en baisant la croix de son épée, rendant corps et âme à Dieu, s'en donna un tel coup, qu'il ne lui en fallut point de secours.

Ainsi mourut le pauvre Amadour, autant regretté que ses vertus le méritaient. Les nouvelles en coururent par toute l'Espagne, tant que

Floride, laquelle était à Barcelone, où son mari autrefois avait ordonné être enterré, après qu'elle eut fait ses obsèques honorablement, sans en parler à mère ni à belle-mère, s'en alla rendre religieuse au monastère de Jésus, prenant pour mari et ami Celui qui l'avait délivrée d'une amour si véhémente que celle d'Amadour, et d'un ennui si grand que de la compagnie d'un tel mari. Ainsi tourna toutes ses affections à aimer Dieu si parfaitement que après avoir vécu longuement religieuse, lui rendit son âme en telle joie que l'épouse a d'aller voir son époux.

« Je sais bien, mesdames, que cette longue nouvelle pourra être à aucuns fâcheuse ; mais si j'eusse voulu satisfaire à celui qui la m'a contée, elle eût été trop plus que longue, vous suppliant, en prenant exemple de la vertu de Floride, diminuer un peu de sa cruauté et ne croire point tant de bien aux hommes, qu'il ne faille, par la connaissance du contraire, à eux donner cruelle mort et à vous triste vie. »

Et après que Parlamente eut eu bonne et longue audience, elle dit à Hircan :

« Vous semble-t-il pas cette femme ait été pressée jusques au bout, et qu'elle ait vertueusement résisté ?

— Non, dit Hircan ; car une femme ne peut faire moindre résistance que de crier ; mais si elle eût été en lieu où on ne l'eût pu ouïr, je ne sais qu'elle eût fait ; et si Amadour eût été plus amoureux que craintif, il n'eût pas laissé pour si peu son entreprise. Et pour cet exemple ici, je ne me départirai de la forte opinion que j'ai, que oncques homme qui aimât parfaitement, ou qui fût aimé d'une dame, ne faillit d'en avoir bonne issue, s'il a fait la poursuite comme il appartient. Mais encore faut-il que je loue Amadour de ce qu'il fit une partie de son devoir.

— Quel devoir ? ce dit Oisille. Appelez-vous faire devoir à un serviteur qui veut avoir par force sa maîtresse, à laquelle il doit toute révérence et obéissance ? »

Saffredent prit la parole et dit : « Madame, quand nos maîtresses tiennent leur rang en chambres ou en salles, assises à leur aise comme nos juges, nous sommes à genoux devant elles ; nous les menons danser en crainte ; nous les servons si diligemment que nous prévenons leurs demandes ; nous semblons être tant craintifs de les offenser et tant désirant de les servir que ceux qui nous voient ont pitié de nous, et bien souvent nous estiment plus sots que bêtes, transportés d'entendement ou transis, et donnent la gloire à nos dames, desquelles les contenances sont tant audacieuses et les paroles tant honnêtes qu'elles se font craindre, aimer et estimer de ceux qui n'en voient que le dehors. Mais quand nous sommes à part, où amour seul est juge de nos contenances, nous savons très bien qu'elles sont femmes et nous hommes ; et à l'heure, le nom de *maîtresse* est converti en *amie*, et le nom de *serviteur* en *ami*. C'est là où le commun proverbe dit :

> De bien servir et loyal être,
> De serviteur l'on devient maître.

Elles ont l'honneur autant que les hommes, qui le leur peuvent donner et ôter, et voient ce que nous endurons patiemment ; mais c'est raison aussi que notre souffrance soit récompensée quand l'honneur ne peut être blessé.

— Vous ne parlez pas, dit Longarine, du vrai honneur qui est le contentement de ce monde ; car quand tout le monde me dirait femme de bien, et je saurais seule le contraire, la louange augmenterait ma honte et me rendrait en moi-même plus confuse ; et aussi, quand il me blâmerait et je sentisse mon innocence, son blâme tournerait à contentement, car nul n'est content que de soi-même.

— Or quoi que vous ayez dit, ce dit Geburon, il me semble qu'Amadour était un aussi honnête et vertueux chevalier qu'il en soit point ; et vu que les noms sont supposés, je pense le reconnaître. Mais puisque Parlamente ne l'a voulu nommer, aussi ne ferai-je. Et contentez-vous que si c'est celui que je pense, son cœur ne sentit jamais telle peur ni ne fut jamais vide d'amour et de hardiesse. »

Vingt et unième nouvelle

Il y avait en France une Reine qui en sa compagnie nourrissait plusieurs filles de grandes et bonnes maisons. Entre autres y en avait une nommée Rolandine, qui était bien proche sa parente. Mais la Reine, pour quelque inimitié qu'elle portait à son père, ne lui faisait pas fort bonne chère. Cette fille, combien qu'elle ne fût des plus belles ni des laides aussi, était tant sage et vertueuse que plusieurs grands personnages la demandaient en mariage, dont ils avaient froide réponse ; car le père aimait tant son argent qu'il oubliait l'avancement de sa fille, et sa maîtresse, comme j'ai dit, lui portait si peu de faveur qu'elle n'était point demandée de ceux qui se voulaient avancer en la bonne grâce de la Reine.

Ainsi, par la négligence du père et par le dédain de sa maîtresse, cette pauvre fille demeura longtemps sans être mariée. Et comme celle qui se fâcha à la longue, non tant pour envie qu'elle eût d'être mariée que pour la honte qu'elle avait de ne l'être point, du tout elle se retira à Dieu, laissant les mondanités et gorgiasetés de la cour ; son passetemps fut à prier Dieu ou à faire quelques ouvrages. Et en cette vie ainsi retirée passa ses jeunes ans, vivant tant honnêtement et saintement qu'il n'était possible de plus.

Quand elle fut approchée des trente ans, il y avait un gentilhomme bâtard d'une grande et bonne maison, autant gentil compagnon et homme de bien qu'il en fut de son temps ; mais la richesse l'avait du tout délaissé, et avait si peu de beauté que une dame, quelle elle fût, ne l'eût pour son plaisir choisi. Ce pauvre gentilhomme était demeuré sans parti ; et comme souvent un malheureux cherche l'autre, vint aborder cette damoiselle Rolandine, car leurs fortunes, complexions et conditions étaient fort pareilles. Et se complaignant l'un à l'autre de leurs infortunes, prirent une très grande amitié ; et se trouvant tous deux compagnons de malheur, se cherchaient en tous lieux pour se consoler l'un l'autre ; et en cette longue fréquentation s'engendra une très grande et longue amitié. Ceux qui avaient vu la damoiselle Rolandine si retirée qu'elle ne parlait à personne, et la voyant incessamment avec le bâtard de bonne maison, en furent incontinent scandalisés, et dirent à sa gouvernante qu'elle ne devait endurer ces longs propos ; ce qu'elle remontra à Rolandine, lui disant que chacun était scandalisé dont elle parlait à un homme qui n'était assez riche pour l'épouser, ni assez beau pour être ami.

Rolandine, qui avait toujours été reprise de ses austérités plus que de ses mondanités, dit à sa gouvernante : « Hélas, ma mère ! Vous voyez que je ne puis avoir un mari selon la maison d'où je suis, et que j'ai toujours fui ceux qui sont beaux et jeunes, de peur de tomber aux inconvénients où j'en ai vu d'autres ; et je trouve ce gentilhomme ici sage et vertueux comme vous savez, lequel ne me prêche que toutes bonnes choses et vertueuses : quel tort puis-je tenir à vous et à ceux qui en parlent de me consoler avec lui de mes ennuis ? »

La pauvre vieille, qui aimait sa maîtresse plus qu'elle-même, lui dit : « Ma damoiselle, je vois bien que vous dites vérité, et que vous êtes traitée de père et de maîtresse autrement que vous ne le méritez. Si est-ce que puisque l'on parle de votre honneur en cette sorte, et fût-il votre propre frère, vous vous devez retirer de parler à lui. »

Rolandine lui dit en pleurant : « Ma mère, puisque vous me le conseillez, je le ferai ; mais c'est chose étrange de n'avoir en ce monde une seule consolation ! » Le bâtard, comme il avait accoutumé, la voulut venir entretenir, mais elle lui déclara tout au long ce que sa gouvernante lui avait dit, et le pria, en pleurant, qu'il se contentât pour un temps de ne lui parler point jusques à ce que ce bruit fût un peu passé ; ce qu'il fit à sa requête.

Mais durant cet éloignement, ayant perdu l'un et l'autre leur consolation, commencèrent à sentir un torment qui jamais de l'un à l'autre n'avait été expérimenté. Elle ne cessait de prier Dieu et d'aller en voyage, jeûner et faire abstinence. Car cet amour, encore à elle inconnu, lui donnait une inquiétude si grande, qu'elle ne la laissait une seule heure reposer. Au bâtard de bonne maison ne faisait amour moindre effort ; mais lui, qui avait déjà conclu en son cœur de l'aimer et de tâcher à l'épouser, regardant avec l'amour l'honneur que ce lui serait s'il la pouvait avoir, pensa qu'il fallait chercher moyen pour lui déclarer sa volonté et surtout gagner sa gouvernante. Ce qu'il fit, en lui remontrant la misère où était tenue sa pauvre maîtresse, à laquelle on voulait ôter toute consolation. Dont la bonne vieille, en pleurant, le remercia de l'honnête affection qu'il portait à sa maîtresse. Et avisèrent ensemble le moyen comme il pourrait parler à elle : c'était que Rolandine ferait souvent semblant d'être malade d'une migraine où l'on craint fort le bruit ; et quand ses compagnes iraient en la chambre de la Reine, ils demeureraient tous deux seuls, et là il la pourrait entretenir. Le bâtard en fut fort joyeux et se gouverna entièrement par le conseil de cette gouvernante, en sorte que quand il voulait, il parlait à s'amie. Mais ce contentement ne lui dura guères, car la Reine, qui ne l'aimait pas fort, s'enquit que faisait tant Rolandine en la chambre. Et combien que quelcun dît que c'était pour sa maladie, toutefois un autre, qui avait trop de mémoire des absents, lui dit que l'aise qu'elle avait d'entretenir le bâtard de bonne maison lui devait faire passer sa migraine.

La Reine, qui trouvait les péchés véniels des autres mortels en elle, l'envoya quérir et lui défendit de parler jamais au bâtard, si ce n'était en sa chambre ou en sa salle. La damoiselle n'en fit nul semblant, mais lui dit : « Si j'eusse pensé, madame, que l'un ou l'autre vous eût déplu, je ne lui eusse jamais parlé. » Toutefois pensa en elle-même quelque autre moyen dont la Reine ne saurait rien ; ce qu'elle fit. Et les mercredi, vendredi et samedi qu'elle jeûnait, demeurait en sa chambre avec sa gouvernante, où elle avait loisir de parler, tandis que les autres soupaient, à celui qu'elle commençait à aimer très fort. Et tant plus le temps de leur propos était abrégé en contrainte, et plus leurs paroles étaient dites par grande affection ; car ils dérobaient le temps, comme fait un larron une chose précieuse. L'affaire ne sut être menée si secrètement que quelque valet ne le vît entrer là-dedans au jour de jeûne, et le redît en lieu où ne fut celé à la Reine, qui s'en courrouça si fort qu'oncques puis n'osa le bâtard aller en la chambre des damoiselles. Et pour ne perdre le bien de parler à elle tout entièrement, faisait souvent semblant d'aller en quelque voyage, et revenait au soir en l'église ou chapelle du château, habillé en Cordelier ou Jacobin, ou dissimulé si bien que nul ne le connaissait; et là s'en allait la damoiselle Rolandine avec sa gouvernante l'entretenir.

Lui, voyant la grande amour qu'elle lui portait, n'eut crainte de lui dire: « Madamoiselle, vous voyez le hasard où je me mets pour votre service, et les défenses que la Reine vous a faites de parler à moi. Vous voyez d'autre part quel père vous avez, qui ne pense en quelque façon que ce soit de vous marier. Il a tant refusé de bons partis que je n'en sache plus, ni près ni loin de lui, qui soit pour vous avoir. Je sais bien que je suis pauvre, et que vous ne sauriez épouser gentilhomme qui ne soit plus riche que moi. Mais si amour et bonne volonté étaient estimés un trésor, je penserais être le plus riche homme du monde. Dieu vous a donné de grands biens, et êtes en danger d'en avoir encore plus: si j'étais si heureux que vous me voulussiez élire pour mari, je vous serais mari, ami et serviteur toute ma vie; et si vous en prenez un égal à vous, chose difficile à trouver, il voudra être maître et regardera plus à vos biens que à votre personne, et à la beauté que à la vertu; et en jouissant de l'usufruit de votre bien, traitera votre corps autrement qu'il ne le mérite. Le désir que j'ai d'avoir ce contentement, et la peur que j'ai que vous n'en ayez point avec un autre, me font vous supplier que par un même moyen vous me rendiez heureux et vous la plus satisfaite et la mieux traitée femme qui onques fut. »

Rolandine, écoutant le même propos qu'elle avait délibéré de lui tenir, lui répondit d'un visage constant : « Je suis très aise dont vous avez commencé le propos, dont longtemps a, j'avais délibéré vous parler, et auquel, depuis deux ans que je vous connais, je n'ai cessé de penser et repenser en moi-même toutes les raisons pour vous et contre vous que j'ai pu inventer. Mais à la fin, sachant que je veux prendre l'état de mariage, il est temps que je commence et que choisisse avec lequel je penserai mieux vivre au repos de ma conscience. Je n'en ai su trouver un, tant soit-il beau, riche ou grand seigneur, avec lequel mon cœur et mon esprit se pût accorder, sinon à vous seul. Je sais qu'en vous épousant, je n'offenserai point Dieu, mais je fais ce qu'il commande. Et quant à Monseigneur mon père, il a si peu pourchassé mon bien et tant refusé, que la loi veut que je me marie, sans ce qu'il me puisse déshériter. Quand je n'aurai que ce qui m'appartient, en épousant un mari tel envers moi que vous êtes, je me tiendrai la plus riche du monde. Quant à la Reine ma maîtresse, je ne dois point faire de conscience de lui déplaire pour obéir à Dieu ; car elle n'en a point fait de m'empêcher le bien que en ma jeunesse j'eusse pu avoir. Mais afin que vous connaissiez que l'amitié que je vous porte est fondée sur la vertu et sur l'honneur, vous me promettrez que si j'accorde ce mariage, de n'en pourchasser jamais la consommation, que mon père ne soit mort ou que je n'aie trouvé moyen de le y faire consentir. » Ce que lui promit volontiers le bâtard ; et sur ces promesses, se donnèrent chacun un anneau en nom de mariage et se baisèrent en l'église devant Dieu, qu'ils prirent en témoin de leur promesse ; et jamais depuis n'y eut entre eux plus grande privauté que de baiser.

Ce peu de contentement donna grande satisfaction au cœur de ces deux parfaits amants, et furent un temps sans se voir, vivant de cette sûreté. Il n'y avait guère lieu où l'honneur se pût acquérir, que le bâtard de bonne maison n'y allât avec un grand contentement, qu'il ne pouvait demeurer pauvre, vu la riche femme que Dieu lui avait donnée ; laquelle en son absence conserva si longuement cette parfaite amitié qu'elle ne tint compte d'homme du monde. Et combien que quelques-uns la demandassent en mariage, ils n'avaient néanmoins autre réponse d'elle, sinon que, depuis qu'elle avait tant demeuré sans être mariée, elle ne voulait jamais l'être. Cette réponse fut entendue de tant de gens que la Reine en ouït parler, et lui demanda pour quelle occasion elle tenait ce langage. Rolandine lui dit que c'était pour lui obéir, car elle savait bien qu'elle n'avait jamais eu envie de la marier au temps et au lieu où elle eût été honorablement pourvue et à son aise ; et que l'âge et la patience lui avaient appris de se contenter de l'état où elle était. Et toutes les fois que l'on lui parlait de mariage, elle faisait pareille réponse. Quand les guerres étaient passées et que le bâtard était retourné à la cour, elle ne parlait point à lui devant les gens, mais allait toujours en quelque église l'entretenir sous couleur de se confesser ; car la Reine avait défendu à lui et à elle qu'ils n'eussent à parler tous deux, sans être en grande compagnie, sur peine de leurs vies. Mais l'amour honnête, qui ne connaît nulles défenses, était plus prêt à trouver les moyens pour les faire parler ensemble que leurs ennemis n'étaient prompts à les guetter ; et sous l'habit de toutes les religions qu'ils se purent penser, continuaient leur honnête amitié, jusques à ce que le Roi s'en alla en une maison de plaisance près de Tours, mais non tant près que les dames pussent aller à pied à autre église que à celle du château, qui était si mal bâtie à propos, qu'il n'y avait lieu où se cacher, où le confesseur n'eût été clairement connu.

Toutefois, si d'un côté l'occasion leur faillait, amour leur en trouvait une autre plus aisée. Car il arriva à la cour une dame de laquelle le bâtard était proche parent. Cette dame avec son fils furent logés en la maison du Roi ; et était la chambre de ce jeune prince avancée toute entière outre le corps de la maison où le Roi était, tellement que de sa fenêtre pouvait voir et parler à Rolandine, car les deux fenêtres étaient proprement au triangle du bout des deux corps de maison. En cette chambre-là étaient logées toutes les damoiselles de bonne maison, compagnes de Rolandine. Laquelle, advisant par plusieurs fois ce jeune prince à sa fenêtre, en fit avertir le bâtard par sa gouvernante; lequel après avoir bien regardé le lieu, fit semblant de prendre fort grand plaisir de lire un livre des Chevaliers de la Table ronde, qui était en la chambre du prince. Et quand chacun s'en allait dîner, priait un valet de chambre le vouloir laisser achever de lire et l'enfermer dedans la chambre; et qu'il la garderait bien. L'autre, qui le connaissait parent de son maître, et homme sûr, le laissait lire tant qu'il lui plaisait. D'autre côté venait à sa fenêtre Rolandine, qui pour avoir occasion d'y demeurer plus longuement feignit d'avoir mal à une jambe, et dînait et soupait de si bonne heure qu'elle n'allait plus à l'ordinaire des dames. Elle se mit à faire un lit tout de reseul de soie cramoisie, et l'attachait à la fenêtre où elle voulait demeurer seule; et quand elle voyait qu'il n'y avait personne, elle entretenait son mari, qui pouvaient parler si haut que nul ne les eût su ouïr; et quand il s'approchait quelqu'un d'elle, elle toussait et faisait signe par lequel le bâtard se pouvait bientôt retirer. Ceux qui faisaient le guet sur eux tenaient tout certain que l'amitié était passée; car elle ne bougeait d'une chambre où sûrement il ne la pouvait voir, pource que l'entrée lui en était défendue.

Un jour, la mère de ce jeune prince fut en la chambre de son fils et se mit à cette fenêtre où était ce gros livre; et n'y eut guères demeuré que une des compagnes de Rolandine, qui était à celle de leur chambre, salua cette dame et parla à elle. La dame lui demanda comment se portait Rolandine; elle lui dit qu'elle la verrait bien, s'il lui plaisait, et la fit venir à la fenêtre en son couvrechef de nuit; et après avoir parlé de sa maladie, se retirèrent chacune de son côté. La dame, regardant ce gros livre de la Table ronde, dit au valet de chambre qui en avait la garde: « Je m'ébahis comme les jeunes gens perdent le temps à lire tant de folies! » Le valet de chambre lui répondit qu'il s'émerveillait encore plus de ce que les gens estimés bien sages et âgés y étaient plus affectionnés que les jeunes; et pour une merveille lui conta comme le bâtard son cousin y demeurait quatre ou cinq heures tous les jours à lire ce beau livre. Incontinent frappa au cœur de cette dame l'occasion pourquoi c'était, et donna charge au valet de chambre de se cacher en quelque lieu, et de regarder ce qu'il ferait; ce qu'il fit, et trouva que le livre où il lisait était la fenêtre où Rolandine venait parler à lui; et entendit plusieurs propos de l'amitié qu'ils cuidaient tenir bien secrète. Le lendemain, le raconta à sa maîtresse, qui envoya quérir le bâtard, et après plusieurs remontrances, lui défendit de ne se y trouver plus ; et le soir, elle parla à Rolandine, la menaçant, si elle continuait cette folle amitié, de dire à la Reine toutes ses menées. Rolandine, qui de rien ne s'étonnait, jura que depuis la défense de sa maîtresse, elle n'y avait point parlé, quelque chose que l'on dît, et qu'elle en sût la vérité tant de ses compagnes que des serviteurs et valets. Et quant à la fenêtre dont elle parlait, elle lui nia d'y avoir parlé au bâtard ; lequel craignant que son affaire fût révélée s'éloigna du danger, et fut longtemps sans revenir à la cour, mais non sans écrire à Rolandine par si subtils moyens, que quelque guet que la Reine y mît, il n'était semaine qu'elle n'eût deux fois de ses nouvelles.

Et quand le moyen des religieux dont il s'aidait fut failli, il lui envoyait un petit page habillé des couleurs, puis de l'un, puis de l'autre, qui s'arrêtait aux portes où toutes les dames passaient, et là baillait ses lettres secrètement parmi la presse. Un jour, ainsi que la Reine allait aux champs, quelqu'un qui reconnut le page, et qui avait la charge de prendre garde en ses affaires, courut après ; mais le page, qui était fin, se doutant que l'on le cherchait, entra en la maison d'une pauvre femme qui faisait sa potée auprès du feu, où il brûla incontinent ses lettres. Le gentilhomme qui le suivait le dépouilla tout nu, et chercha par tout son habillement, mais il n'y trouva rien ; parquoi le laissa aller.

Et quand il fut parti, la vieille lui demanda pourquoi il avait ainsi cherché ce jeune enfant. Il lui dit : « Pour trouver quelques lettres que je pensais qu'il portât.

— Vous n'aviez garde, dit la vieille, de les trouver, car ils les avait bien cachées.

— Je vous prie, dit le gentilhomme, dites-moi en quel endroit c'est ? » espérant bientôt les recouvrer. Mais quand il entendit que c'était dedans le feu, connut bien que le page avait été plus fin que lui ; ce que incontinent alla raconter à la Reine. Toutefois, depuis cette heure-là, ne s'aida plus le bâtard de page ni d'enfant ; et y envoya un vieil serviteur qu'il avait, lequel, oubliant la crainte de la mort dont il savait bien que l'on faisait menacer, de par la Reine, ceux qui se mêlaient de cette affaire, entreprit de porter lettres à Rolandine. Et quand il fut entré au château où elle était, s'en alla guetter à une porte au pied d'un grand degré où toutes les dames passaient ; mais un valet, qui autrefois l'avait vu, le reconnut incontinent, et l'alla dire au maître d'hôtel de la Reine, qui soudainement le vint chercher pour le prendre.

Le valet, sage et avisé, voyant que l'on le regardait de loin, se retourna vers la muraille, comme pour faire de l'eau, et là rompit ses lettres les plus menu qu'il lui fut possible, et les jeta derrière une porte. Sur l'heure, il fut pris et cherché de tous côtés ; et quand on ne lui trouva rien, on l'interrogea par serment s'il avait apporté nulles lettres, lui gardant toutes les rigueurs et persuasions qu'il fut possible, pour lui faire confesser la vérité ; mais pour promesses ni pour menaces qu'on lui fît, jamais n'en surent tirer autre chose. Le rapport en fut fait à la Reine, et quelqu'un de la compagnie s'avisa qu'il était bon de regarder derrière la porte auprès de laquelle on l'avait pris ; ce qui fut fait et trouva l'on ce que l'on cherchait : c'étaient les pièces de la lettre. On envoya quérir le confesseur du Roi, lequel après les avoir assemblées sur une table, lut la lettre tout du long, où la vérité du mariage tant dissimulé se trouva clairement ; car le bâtard ne l'appelait que sa *femme*. La Reine, qui n'avait délibéré de couvrir la faute de son prochain, comme elle devait, en fit un très grand bruit, et commanda que par tous moyens on fît confesser au pauvre homme la vérité de cette lettre, et que en la lui montrant il ne la pourrait nier ; mais quelque chose qu'on lui dît ou qu'on lui montrât, il ne changea son premier propos. Ceux qui en avaient la garde le menèrent au bord de la rivière, et le mirent dedans un sac, disant qu'il mentait à Dieu et à la Reine contre la vérité prouvée.

Lui, qui aimait mieux perdre sa vie que d'accuser son maître, leur demanda un confesseur, et après avoir fait de sa conscience le mieux qu'il lui était possible, leur dit : « Messieurs, dites à Monseigneur le bâtard, mon maître, que je lui recommande la vie de ma femme et de mes enfants, car de bon cœur je mets la mienne pour son service ; et faites de moi ce qu'il vous plaira, car vous n'en tirerez jamais parole qui soit contre mon maître. »

A l'heure, pour lui faire plus grand peur, le jetèrent dedans le sac en l'eau, lui criant : « Si tu veux dire vérité, tu sera sauvé. » Mais voyant qu'il ne leur répondait rien, le retirèrent de là et firent le rapport de sa constance à la Reine, qui dit à l'heure que le Roi son mari ni elle n'étaient point si heureux en serviteurs, que un qui n'avait de quoi les récompenser ; et fit ce qu'elle put pour le retirer à son service, mais jamais ne voulut abandonner son maître. Toutefois, à la fin, par le congé de son dit maître, il fut mis au service de la Reine, où il vécut heureux et content.

La Reine, après avoir connu la vérité du mariage, par la lettre du bâtard, envoya quérir Rolandine, et avec un visage tout courroucé, l'appela plusieurs fois *malheureuse* et *méchante*, en lieu de cousine, lui remontrant la honte qu'elle avait faite à la maison de son père et à tous ses parents de s'être mariée, et à elle qui était sa maîtresse, sans son commandement ni congé. Rolandine, qui de longtemps connaissait le peu d'affection que lui portait sa maîtresse, lui rendit la pareille, et pource que l'amour lui défaillait, la crainte n'y avait plus de lieu ; pensant aussi que cette correction devant plusieurs personnes ne procédait pas d'amour qu'elle lui portât, mais pour lui faire une honte, comme celle qu'elle estimait prendre plus de plaisir à la châtier, que de déplaisir de la voir faillir, lui répondit, d'un visage aussi joyeux et assuré que la Reine montrait le sien troublé et courroucé : « Madame, ce lui dit Rolandine, si vous ne connaissiez votre cœur tel qu'il est, je vous mettrais au devant la mauvaise volonté que de longtemps vous avez portée à Monsieur mon père et à moi ; mais vous le savez si bien que vous ne trouverez point étrange, si tout le monde s'en doute ; et quant est de moi, Madame, je m'en suis bien aperçue à mon plus grand dommage. Car quand il vous eût plu me favoriser, comme celles qui ne vous sont si proches que moi, je fusse maintenant mariée autant à votre honneur que au mien ; mais vous m'avez laissée comme une personne du tout oubliant votre bonne grâce, en sorte que tous les bons partis que j'eusse su avoir me sont passés devant les œils, par la négligence de Monsieur mon père et par le peu d'estime que vous avez fait de moi ; dont j'étais tombée en tel désespoir, que si ma santé eût pu porter l'état de religion, je l'eusse volontiers pris pour ne voir les ennuis continuels que votre rigueur me donnait. En ce désespoir, m'est venu trouver celui qui serait d'aussi bonne maison que moi, si l'amour de deux personnes était autant estimé que l'anneau ; car vous savez que son père passerait devant le mien. Il m'a longuement entretenue et aimée ; mais vous, Madame, qui jamais ne me pardonnâtes nulle petite faute, ni me louâtes de nul bon œuvre, combien que vous connaissiez par expérience que je n'ai point accoutumé de parler de propos d'amour ni de mondanité, et que du tout j'étais retirée à mener une vie plus religieuse que autre, avez incontinent trouvé étrange que je parlasse à un gentilhomme aussi malheureux en cette vie que moi, en l'amitié duquel je ne pensais ni ne cherchais autre chose que la consolation de mon esprit. Et quand du tout je m'en vis frustrée, j'entrai en tel désespoir, que je délibérai de chercher autant mon repos que vous aviez envie de me l'ôter. Et à l'heure eûmes paroles de mariage, lesquelles ont été consommées par promesse et anneau. Parquoi il me semble, Madame, que vous me tenez un grand tort de me nommer méchante, vu que, en une si grande et parfaite amitié où je pouvais trouver les occasions si je voulais, il n'y a jamais eu entre lui et moi plus grande privauté que de baiser, espérant que Dieu me ferait la grâce que avant la consommation du mariage je gagnerais le cœur de Monsieur mon père à se y consentir.

« Je n'ai point offensé Dieu, ni ma conscience, car j'ai attendu jusques à l'âge de trente ans pour voir ce que vous et Monsieur mon père feriez pour moi, ayant gardé ma jeunesse en telle chasteté et honnêteté que homme vivant ne m'en saurait rien reprocher. Et par le conseil de la raison que Dieu m'a donnée, me voyant vieille et hors d'espoir de trouver parti selon ma maison, me suis délibérée d'en épouser un à ma volonté, non point pour satisfaire à la concupiscence des œils, car vous savez qu'il n'est pas beau, ni à celle de la chair, car il n'y a point eu de consommation charnelle, ni à l'orgueil, ni à l'ambition de cette vie, car il est pauvre et peu avancé ; mais j'ai regardé purement et simplement à la vertu qui est en lui, dont tout le monde est contraint de lui donner louange : à la grande amour aussi qu'il m'a portée, qui me fait espérer de trouver avec lui repos et bon traitement. Et après avoir bien pesé tout le bien et le mal qui m'en peut advenir, je me suis arrêtée à la partie qui m'a semblé la meilleure, et que j'ai débattue en mon cœur deux ans durant : c'est d'user le demeurant de mes jours en sa compagnie. Et suis délibérée de tenir ce propos si ferme, que tous les tourments que j'en saurais endurer, fût la mort, ne me feront départir de cette forte opinion. Parquoi, Madame, il vous plaira excuser en moi ce qui est très excusable, comme vous-même l'entendez très bien, et me laissez vivre en paix, que j'espère trouver avec lui. »

La reine, voyant son visage si constant et sa parole tant véritable, ne lui put répondre par raison ; et en continuant de la reprendre et injurier par colère, se prit à pleurer en disant : « Malheureuse que vous êtes, en lieu de vous humilier devant moi, et de vous repentir d'une faute si grande, vous parlez audacieusement, sans en avoir la larme à l'œil ; par cela montrez bien l'obstination et la dureté de votre cœur. Mais si le Roi et votre père me veulent croire, ils vous mettront en lieu où vous serez contrainte de parler autre langage !

— Madame, ce lui répondit Rolandine, pource que vous m'accusez de parler trop audacieusement, je suis délibérée de me taire, s'il ne vous plaît de me donner congé de vous répondre. » Et quand elle eut commandement de parler, lui dit : « Ce n'est point à moi, Madame, à parler à vous, qui êtes ma maîtresse et la plus grande princesse de la chrétienté, audacieusement et sans la révérence que je vous dois : ce que je n'ai voulu ni pensé faire ; mais, puisque je n'ai avocat qui parle pour moi, sinon la vérité, laquelle moi seule je sais, je suis tenue de la déclarer sans crainte, espérant que si elle est bien connue de vous, vous ne m'estimerez telle qu'il vous a plu me nommer. Je ne crains que créature mortelle entende comme je me suis conduite en l'affaire dont l'on me charge, puisque je sais que Dieu et mon honneur n'y sont en rien offensés. Et voilà qui me fait parler sans crainte, étant sûre que celui qui voit mon cœur est avec moi ; et si un tel juge était pour moi, j'aurais tort de craindre ceux qui sont sujets à son jugement. Et pourquoi donc dois-je pleurer, vu que ma conscience et mon cœur ne me reprennent point en cette affaire, et que suis si loin de m'en repentir, que, s'il était à recommencer, j'en ferais ce que j'ai fait ? Mais vous, Madame, avez grande occasion de pleurer, tant pour le grand tort que en toute ma jeunesse vous m'avez tenu, que pour celui que maintenant vous me faites de me reprendre devant tout le monde d'une faute qui doit être imputée plus à vous que à moi. Quand je aurais offensé Dieu, le Roi, vous, mes parents et ma conscience, je serais bien obstinée si de grande repentance je ne pleurais. Mais d'une chose bonne, juste et sainte, dont jamais n'eût été bruit que bien honorable, sinon que vous l'avez trop tôt éventé, montrant que l'envie que vous avez de mon déshonneur était plus grande que de conserver l'honneur de votre maison et de vos parents, je ne dois pleurer.

« Mais puisque ainsi il vous plaît, Madame, je ne suis pour vous contredire. Car quand vous m'ordonnerez telle peine qu'il vous plaira, je ne prendrai moins de plaisir de la souffrir sans raison que vous ferez à la me donner. Parquoi, Madame, commandez à Monsieur mon père quel tourment il vous plaît que je porte, car je sais qu'il n'y faudra pas : au moins suis-je bien aise que seulement pour mon malheur il suive entièrement votre volonté, et que, ainsi qu'il a été négligent à mon bien, suivant votre vouloir, il sera prompt à mon mal pour vous obéir. Mais j'ai un père au ciel, lequel, je suis assurée, me donnera autant de patience que je me vois par vous de grands maux préparés, et en lui seul j'ai ma parfaite confiance. »

La Reine, si courroucée qu'elle n'en pouvait plus, commanda qu'elle fût emmenée de devant ses œils et mise en une chambre à part où elle ne pût parler à personne ; mais l'on ne lui ôta point sa gouvernante, par le moyen de laquelle elle fit savoir au bâtard toute sa fortune et ce qu'il lui semblait qu'elle devait faire. Lequel, estimant que les services qu'il avait faits au Roi lui pourraient servir de quelque chose, s'en vint en diligence à la cour ; et trouva le Roi aux champs, auquel il conta la vérité du fait, le suppliant que à lui qui était pauvre gentilhomme, voulût faire tant de bien d'apaiser la Reine, en sorte que le mariage pût être consommé. Le Roi ne lui répondit rien, sinon : « M'assurez-vous que vous l'avez épousée ?

— Oui, sire, dit le bâtard, par paroles, de présent seulement ; et s'il vous plaît, la fin y sera mise. »

Le Roi, baissant la tête et sans lui dire autre chose, s'en retourna droit au château ; et quand il fut auprès de là, il appela le capitaine de ses gardes et lui donna charge de prendre le bâtard prisonnier. Toutefois un sien ami, qui connaissait le visage du Roi, l'avertit de s'absenter et de se retirer en une sienne maison près de là ; et que si le Roi le faisait chercher, comme il soupçonnait, il lui ferait incontinent savoir pour s'enfuir hors du royaume ; si aussi les choses étaient adoucies, il le manderait, pour retourner. Le bâtard le crut et fit si bonne diligence que le capitaine des gardes ne le trouva point.

Le Roi et la Reine ensemble regardèrent qu'ils feraient de cette pauvre damoiselle qui avait l'honneur d'être leur parente ; et par le conseil de la Reine fut conclu qu'elle serait renvoyée à son père, auquel l'on manda toute la vérité du fait. Mais avant l'envoyer, firent parler à elle plusieurs gens d'Église et de Conseil, lui remontrant, puisqu'il n'y avait en son mariage que la parole, qu'il se pouvait facilement défaire, mais que l'un et l'autre se quittassent, ce que le Roi voulait qu'elle fît pour garder l'honneur de la maison dont elle était. Elle leur fit réponse que en toutes choses elle était prête d'obéir au Roi, sinon à contrevenir à sa conscience ; mais ce que Dieu avait assemblé, les hommes ne le pouvaient séparer : les priant de ne la tenter de chose si déraisonnable, car si amour et bonne volonté fondée sur la crainte de Dieu sont les vrais et sûrs liens de mariage, elle était si bien liée que fer, ni feu, ni eau, ne pouvaient rompre son lien, sinon la mort, à laquelle seule et non à autre rendrait son anneau et son serment, les priant de ne lui parler du contraire. Car elle était si ferme en son propos qu'elle aimait mieux mourir, en gardant sa foi, que vivre après l'avoir niée.

Les députés de par le Roi emportèrent cette constante réponse ; et quand ils virent qu'il n'y avait remède de lui faire renoncer son mari, l'envoyèrent devers son père en si piteuse façon, que par où elle passait chacun pleurait. Et combien qu'elle n'eût failli, la punition fut si grande et sa constance telle qu'elle fit estimer sa faute être vertu. Le père, sachant cette piteuse nouvelle, ne la voulut point voir, mais l'envoya à un château dedans une forêt, lequel il avait autrefois édifié pour une occasion bien digne d'être racontée après cette nouvelle ; et la tint là longuement en prison, la faisant persuader que si elle voulait quitter son mari, il la tiendrait pour sa fille et la mettrait en liberté. Toutefois elle tint ferme et aima mieux le lien de sa prison, en conservant celui de son mariage, que toute la liberté du monde sans son mari ; et semblait à voir son visage que toutes ses peines lui étaient passe-temps très plaisants, puisqu'elle les souffrait pour celui qu'elle aimait.

Que dirai-je ici des hommes ? Ce bâtard, tant obligé à elle, comme vous avez vu, s'enfuit en Allemagne, où il avait beaucoup d'amis ; et montra bien, par sa légèreté, que vraie et parfaite amour ne lui avait pas tant fait pourchasser Rolandine que l'avarice et l'ambition ; en sorte qu'il devint tant amoureux d'une dame d'Allemagne, qu'il oublia à visiter par lettre celle qui pour lui soutenait tant de tribulation. Car jamais la fortune, quelque rigueur qu'elle leur tînt, ne leur put ôter le moyen de s'écrire l'un à l'autre, sinon la folle et méchante amour où il se laissa tomber, dont le cœur de Rolandine eut premier un sentiment tel qu'elle ne pouvait plus reposer. Et voyant après ses écritures tant changées et refroidies du langage accoutumé qu'elles ne ressemblaient plus aux passées, soupçonna que nouvelle amitié la séparait de son mari, ce que tous les tourments et peines qu'on lui avait pu donner n'avaient su faire. Et parce que sa parfaite amour ne voulait qu'elle assît jugement sur un soupçon, trouva moyen d'envoyer secrètement un serviteur en qui elle se fiait, non pour lui écrire et parler à lui, mais pour l'épier et voir la vérité. Lequel retourné du voyage, lui dit que pour sûr il avait trouvé le bâtard bien fort amoureux d'une dame de l'Allemagne, et que le bruit était qu'il pourchassât de l'épouser, car elle était fort riche.

Cette nouvelle apporta une si extrême douleur au cœur de cette pauvre Rolandine que ne la pouvant porter, tomba bien grièvement malade. Ceux qui entendaient l'occasion lui dirent de la part de son père que puisqu'elle voyait la grande méchanceté du bâtard, justement elle le pouvait abandonner, et la persuadèrent de tout leur possible. Mais nonobstant qu'elle fût tourmentée jusques au bout, si n'y eut-il jamais remède de lui faire changer son propos ; et montra en cette dernière tentation l'amour qu'elle avait et sa très grande vertu. Car ainsi que l'amour se diminuait du côté de lui, ainsi augmentait du sien ; et demeura, malgré qu'il en eût, l'amour entier et parfait, car l'amitié, qui défaillait du côté de lui, tourna en elle. Et quand elle connut que en son cœur seul était l'amour entier qui autrefois avait été départi en deux, elle délibéra de le soutenir jusques à la mort de l'un ou de l'autre. Par quoi la Bonté divine, qui est parfaite charité et vraie amour, eut pitié de sa douleur et regarda sa patience, en sorte que après peu de jours le bâtard mourut à la poursuite d'une autre femme. Dont elle, bien avertie de ceux qui l'avaient vu mettre en terre, envoya supplier son père qu'il lui plût qu'elle parlât à lui.

Le père s'y en alla incontinent, qui jamais depuis sa prison n'avait parlé à elle ; et après avoir bien au long entendu ses justes raisons, en lieu de la reprendre et tuer, comme souvent par paroles il la menaçait, la prit entre ses bras, et en pleurant très fort lui dit : « Ma fille, vous êtes plus juste que moi, car s'il y a eu faute en votre affaire, j'en suis la principale cause ; mais puisque Dieu l'a ainsi ordonné, je veux satisfaire au passé. »

Et après l'avoir amenée en sa maison, il la traitait comme sa fille aînée. Elle fut demandée en mariage par un gentilhomme, du nom et armes de leur maison, qui était fort sage et vertueux ; et estimait tant Rolandine, laquelle il fréquentait souvent, qu'il lui donnait louange de ce dont les autres la blâmaient, connaissant que sa fin n'avait été que pour la vertu. Le mariage fut agréable au père et à Rolandine et fut incontinent conclu. Il est vrai que un frère qu'elle avait, seul héritier de la maison, ne voulait s'accorder qu'elle eût nul partage, lui mettant au devant qu'elle avait désobéi à son père. Et après la mort du bonhomme, lui tint de si grandes rigueurs, que son mari, qui était un puîné, et elle, avaient bien affaire de vivre. En quoi Dieu pourvut ; car le frère, qui voulait tout tenir, laissa en un jour, par une mort subite, le bien qu'il tenait de sa sœur et le sien, quant et quant. Ainsi elle fut héritière d'une bonne et grosse maison, où elle vécut saintement et honorablement en l'amour de son mari. Et après avoir élevé deux fils que Dieu leur donna, rendit joyeusement son âme à Celui où de tout temps elle avait sa parfaite confiance.

« Or Mesdames, je vous prie que les hommes, qui nous veulent peindre tant inconstantes, viennent maintenant ici et me montrent l'exemple d'un aussi bon mari, que cette-ci fut bonne femme, et d'une telle foi et persévérance ; je suis sûre qu'il leur serait si difficile que j'aime mieux les en quitter que de me mettre en cette peine ; mais non vous, Mesdames, de vous prier, pour continuer notre gloire, ou du tout n'aimer point, ou que ce soit aussi parfaitement. Et gardez-vous bien que nulle ne die que cette damoiselle ait offensé son honneur, vu que par sa fermeté elle est occasion d'augmenter le nôtre.

— En bonne fois, Parlamente, dit Oisille, vous nous avez raconté l'histoire d'une femme d'un très grand et honnête cœur ; mais ce qui donne autant de lustre à sa fermeté, c'est la déloyauté de son mari qui la voulait laisser pour une autre.

— Je crois, dit Longarine, que cet ennui-là fut le plus importable ; car il n'y a faix si pesant que l'amour de deux personnes bien unies ne puisse doucement supporter ; mais quand l'un faut à son devoir et laisse la charge sur l'autre, la pesanteur est importable.

— Vous devriez donc, dit Geburon, avoir pitié de nous, qui portons l'amour entière, sans que vous y daigniez mettre le bout du doigt pour la soulager.

— Ha, Geburon ! dit Parlamente, souvent sont différents les fardeaux de l'homme et de la femme. Car l'amour de la femme, bien fondé sur Dieu et sur son honneur, est si juste et raisonnable, que celui qui se départ de telle amitié doit être estimé lâche et méchant envers Dieu et les hommes. Mais l'amour de la plupart des hommes de bien est tant fondé sur le plaisir, que les femmes, ignorant leurs mauvaises volontés, se y mettent aucunes fois bien avant ; et quand Dieu leur fait connaître la malice du cœur de celui qu'elles estimaient bon, s'en peuvent départir avec leur honneur et bonne réputation, car les plus courtes folies sont toujours les meilleures.

— Voilà donc une raison, dit Hircan, forgée sur votre fantaisie, de vouloir soutenir que les femmes honnêtes peuvent laisser honnêtement l'amour des hommes, et non les hommes celle des femmes, comme si leurs cœurs étaient différents ; mais combien que les visages et habits le soient, si crois-je que les volontés sont toutes pareilles, sinon d'autant que la malice plus couverte est la pire. »

Parlamente, avec un peu de colère, lui dit : « J'entends bien que vous estimez celles les moins mauvaises, de qui la malice est découverte !

— Or laissons-là ce propos, dit Simontault, car pour faire conclusion, du cœur de l'homme et de la femme, le meilleur des deux n'en vaut rien. »

Soixante-dixième nouvelle

En la duché de Bourgogne y avait un duc, très honnête et beau prince, ayant épousé une femme dont la beauté le contentait si fort qu'elle lui faisait ignorer ses conditions, tant qu'il ne regardait que à lui complaire, ce qu'elle feignait très bien lui rendre.

Or avait le duc en sa maison un gentilhomme, tant accompli de toutes les perfections que l'on peut demander à l'homme, qu'il était de tous aimé, et principalement du duc, qui dès son enfance l'avait nourri près de sa personne ; et le voyant si bien conditionné, l'aimait parfaitement et se confiait en lui de toutes les affaires que selon son âge il pouvait entendre. La duchesse, qui n'avait pas le cœur de femme et princesse vertueuse, ne se contentant de l'amour que son mari lui portait et du bon traitement qu'elle avait de lui, regardait souvent ce gentilhomme, et le trouvait tant à son gré qu'elle l'aimait outre toute raison; ce que à toute heure mettait peine de lui faire entendre, tant par regards piteux et doux que par soupirs et contenances passionnées. Mais le gentilhomme, qui jamais n'avait étudié que à la vertu, ne pouvait connaître le vice en une dame qui en avait si peu d'occasion; tellement que œillades et mines de cette pauvre folle n'apportaient autre fruit que un furieux désespoir; lequel, un jour, la poussa tant, que oubliant qu'elle était femme qui devait être priée et refuser, princesse qui devait être adorée, dédaignant tels serviteurs, prit le cœur d'un homme transporté pour décharger le feu qui était importable. Et ainsi que son mari allait au conseil, où le gentilhomme, pour sa jeunesse, n'était point, lui fit signe qu'il vînt devers elle; ce qu'il fit, pensant qu'elle eût à lui commander quelque chose.

Mais en soupirant sur son bras, comme femme lassée de trop de repos, le mena promener en une galerie, où elle lui dit: « Je m'ébahis de vous, qui êtes tant beau, jeune et tant plein de toute bonne grâce, comme vous avez vécu en cette compagnie, où il y a si grand nombre de belles dames, sans que jamais vous ayez été amoureux ou serviteur d'aucune. »

Et en la regardant du meilleur œil qu'elle pouvait, se tut pour lui donner lieu de dire: « Madame, si j'étais digne que votre hautesse se pût abaisser à penser à moi, ce vous serait plus d'occasion d'ébahissement de voir un homme si indigne d'être aimé que moi présenter son service pour en rapporter un refus ou moquerie. »

La duchesse, voyant cette sage réponse, l'aima plus fort que paravant, et lui jura qu'il n'y avait dame en sa cour qui ne fût trop heureuse d'avoir un tel serviteur ; et qu'il se pouvait bien essayer à telle aventure, car sans péril il en sortirait à son honneur. Le gentilhomme tenait toujours les œils baissés, n'osant regarder ses contenances qui étaient assez ardentes pour faire brûler une glace ; et ainsi qu'il se voulait excuser, le duc demanda la duchesse pour quelque affaire, au conseil, qui lui touchait, où avec grand regret elle alla. Mais le gentilhomme ne fit jamais un seul semblant d'avoir entendu parole qu'elle lui eût dite ; dont elle était si troublée et fâchée qu'elle n'en savait à qui donner le tort de son ennui, sinon à la sotte crainte dont elle estimait le gentilhomme trop plein. Peu de jours après, voyant qu'il n'entendait point son langage, se délibéra de ne regarder crainte ni honte, mais lui déclarer sa fantaisie, se tenant sûre que une telle beauté que la sienne ne pourrait être que bien reçue ; mais elle eût bien désiré d'avoir eu l'honneur d'être priée. Toutefois laissa l'honneur à part, pour le plaisir ; et après avoir tenté par plusieurs fois de lui tenir semblables propos que le premier, et n'y trouvant nulle réponse à son gré, le tira un jour par la manche et lui dit qu'elle avait à parler à lui d'affaires d'importance. Le gentilhomme, avec l'humilité et révérence qu'il lui devait, s'en va devers elle en une profonde fenêtre où elle s'était retirée. Et quand elle vit que nul de la chambre ne la pouvait voir, avec une voix tremblante, contrainte entre le désir et la crainte, lui va continuer les premiers propos, le reprenant de ce qu'il n'avait encore choisi quelque dame en sa compagnie, l'assurant que, en quelque lieu que ce fût, lui aiderait d'avoir bon traitement.

Le gentilhomme, non moins fâché que étonné de ses paroles, lui répondit : « Madame, j'ai le cœur si bon, que si j'étais une fois refusé, je n'aurais jamais joie en ce monde ; et je me sens tel, qu'il n'y a dame en cette cour qui daignât accepter mon service. »

La duchesse, rougissant, pensant qu'il ne tenait donc plus à rien qu'il ne fût vaincu, lui jura que s'il voulait, elle savait la plus belle dame de sa compagnie qui le recevrait à grande joie et dont il aurait parfait contentement.

« Hélas, Madame, dit-il, je ne crois pas qu'il y ait si malheureuse et aveugle femme en cette compagnie, qui me ait trouvé à son gré ! »

La duchesse, voyant qu'il ne la voulait entendre, lui va entrouvrir le voile de sa passion ; et pour la crainte que lui donnait la vertu du gentilhomme, parla par matière d'interrogation, lui disant : « Si

Fortune vous avait tant favorisé que ce fût moi qui vous portât cette bonne volonté, que diriez-vous ? »

Le gentilhomme, qui pensait songer, d'ouïr une telle parole, lui dit, le genou à terre : « Madame, quand Dieu me fera la grâce d'avoir celle du duc mon maître et de vous, je me tiendrai le plus heureux du monde, car c'est la récompense que je demande de mon loyal service, comme celui qui plus que nul autre est obligé à mettre la vie pour le service de vous deux ; étant sûr, Madame, que l'amour que vous portez à mondit seigneur est accompagnée de telle chasteté et grandeur, que non pas moi, qui ne suis que un vers de terre, mais le plus grand prince et parfait homme que l'on saurait trouver ne saurait empêcher l'union de vous et de mon dit seigneur. Et quant à moi, il m'a nourri dès mon enfance et m'a fait tel que je suis : parquoi il ne saurait avoir fille, femme, sœur ou mère, desquelles, pour mourir, je voulsisse avoir autre pensée que doit à son maître un loyal et fidèle serviteur. »

La duchesse ne le laissa pas passer outre, et voyant qu'elle était en danger d'un refus déshonorable, lui rompit soudain son propos, en lui disant : « O méchant, glorieux et fol, et qu'est-ce qui vous en prie ? Vous cuidez, par votre beauté, être aimé des mouches qui volent ! Mais si vous étiez si outrecuidé que de vous adresser à moi, je vous montrerais que je n'aime et ne veux aimer autre que mon mari ; et les propos que je vous ai tenus n'ont été que pour passer mon temps à savoir de vos nouvelles, et m'en moquer comme je fais des sots amoureux.

— Madame, dit le gentilhomme, je l'ai cru et crois comme vous le dites. »

Lors, sans l'écouter plus avant, s'en alla hâtivement en sa chambre, et voyant qu'elle était suivie de ses dames, entra en son cabinet où elle fit un long deuil qui ne se peut raconter ; car, d'un côté, l'amour où elle avait failli lui donna une tristesse mortelle ; d'autre côté, le dépit, tant contre elle d'avoir commencé un si sot propos que contre lui d'avoir si sagement répondu, la mettait en une telle furie que une heure se voulait défaire, l'autre elle voulait vivre pour se venger de celui qu'elle tenait son mortel ennemi.

Après qu'elle eut longuement pleuré, feignit d'être malade, pour n'aller point au souper du duc, auquel ordinairement le gentilhomme servait. Le duc, qui plus aimait sa femme que lui-même, la vint visiter ; mais, pour mieux venir à la fin qu'elle prétendait, lui dit qu'elle pensait être grosse, et que sa grossesse lui avait fait tomber un rhume dessus les œils, dont elle était en fort grand peine. Ainsi passèrent deux ou trois jours, que la duchesse garda le lit, tant triste et mélancolique, que le duc pensa bien qu'il y avait autre chose que la groisse. Et vint coucher la nuit avec elle, et lui faisant toutes les bonnes chères qu'il lui était possible, connaissant qu'il n'empêchait en rien ses continuels soupirs, lui dit :

« M'amie, vous savez que je vous porte autant d'amitié que à ma propre vie ; et que défaillant la vôtre, la mienne ne peut durer ; parquoi si vous voulez conserver ma santé, je vous prie, dites-moi la cause qui vous fait ainsi soupirer, car je ne puis croire que tel mal vous vienne seulement de la groisse. »

La duchesse, voyant son mari tel envers elle qu'elle l'eût su demander, pensa qu'il était temps de se venger de son dépit, et en embrassant son mari se prit à pleurer, lui disant : « Hélas, Monsieur, le plus grand mal que j'aie, c'est de vous voir trompé de ceux qui sont tant obligés à garder votre bien et honneur. »

Le duc, entendant cette parole, eut grand désir de savoir pourquoi elle lui disait ce propos ; et la pria fort de lui déclarer sans crainte toute la vérité. Et après avoir fait plusieurs refus, elle lui dit : « Je ne m'ébahirai jamais, Monsieur, si les étrangers font guerre aux princes, quand ceux qui sont les plus obligés l'osent entreprendre si cruelle, que la perte des biens n'est rien au prix. Je le dis, Monsieur, pour un tel gentilhomme (nommant celui qu'elle haïssait), lequel, étant nourri de votre main, et traité plus en parent et en fils que en serviteur, a osé entreprendre chose si cruelle et misérable que de pourchasser à faire perdre l'honneur de votre femme, où gît celui de votre maison et de vos enfants. Et combien que longuement m'ait fait des mines tendant à sa méchante attention, si est-ce que mon cœur, qui n'a regard que à vous, n'y pouvait rien entendre ; dont à la fin s'est déclaré par parole. A quoi je lui ai fait telle réponse que mon état et ma chasteté devaient. Ce néanmoins, je lui porte telle haine que je ne le puis regarder : qui est la cause de m'avoir fait demeurer en ma chambre et perdre le bien de votre compagnie, vous suppliant, monseigneur, de ne tenir une telle peste auprès de votre personne ; car après un tel crime, craignant que je vous le die, pourrait bien entreprendre pis. Voilà, monsieur, la cause de ma douleur, qui me semble être très juste et digne que promptement y donniez ordre. »

Le duc, qui d'un côté aimait sa femme et se sentait fort injurié, d'autre côté aimant son serviteur, duquel il avait tant expérimenté la fidélité, que à peine pouvait-il croire cette mensonge être vérité, fut en grand peine et rempli de colère : s'en alla en sa chambre, et manda au gentilhomme qu'il n'eût plus à se trouver devant lui, mais qu'il se retirât en son logis pour quelque temps. Le gentilhomme, ignorant cette occasion, fut tant ennuyé qu'il n'était possible de plus, sachant avoir mérité le contraire d'un si mauvais traitement. Et comme celui qui était assuré de son cœur et de ses œuvres, envoya un sien compagnon parler au duc et porter une lettre, le suppliant très humblement que si par mauvais rapport il était éloigné de sa présence, il lui plût suspendre son jugement jusques après avoir entendu de lui la vérité du fait, et qu'il trouverait que, en nulle sorte, il ne l'avait offensé.

Voyant cette lettre, le duc rapaisa un peu sa colère et secrètement l'envoya quérir en sa chambre, auquel il dit d'un visage furieux : « Je n'eusse jamais pensé que la peine que j'ai prise de vous nourrir, comme enfant, se dût convertir en repentance de vous avoir tant avancé, vu que vous m'avez pourchassé ce qui m'a été plus dommageable que la perte de la vie et des biens, d'avoir voulu toucher à l'honneur de celle qui est la moitié de moi, pour rendre ma maison et ma lignée infâmes à jamais. Vous pouvez penser que telle injure me touche si avant au cœur, que si ce n'était le doute que je fais s'il est vrai ou non, vous fussiez déjà au fond de l'eau, pour vous rendre en secret la punition du mal que en secret m'avez pourchassé. »

Le gentilhomme ne fut point étonné de ces propos, car son ignorance le faisait constamment parler ; et lui supplia lui vouloir dire qui était son accusateur, car telles paroles se doivent plus justifier avec la lance que avec la langue.

« Votre accusateur, dit le duc, ne porte autres armes que la chasteté ; vous assurant que nul autre que ma femme même ne me l'a déclaré, me priant la venger de vous. »

Le pauvre gentilhomme, voyant la très grande malice de la dame, ne la voulut toutefois accuser, mais répondit : « Monseigneur, ma dame peut dire qui lui plaît. Vous la connaissez mieux que moi ; et savez si jamais je l'ai vue hors de votre compagnie, sinon une fois qu'elle parla bien peu à moi. Vous avez aussi bon jugement que prince qui soit ; parquoi je vous supplie, monseigneur, juger si jamais vous avez vu en moi contenance qui vous ait pu engendrer quelque soupçon. Si est-ce un feu qui ne se peut si longuement couvrir que quelquefois ne soit connu de ceux qui ont pareille maladie. Vous suppliant, monseigneur, croire deux choses de moi : l'une que je vous suis si loyal, que quand madame votre femme serait la plus belle créature du monde, si n'aurait amour la puissance de mettre tache à mon honneur et fidélité ; l'autre est que, quand elle ne serait point votre femme, c'est celle que je vis oncques dont je serais aussi peu amoureux ; et y en a assez d'autres, où je mettrais plutôt ma fiance. »

Le duc commença à s'adoucir, oyant ce véritable propos, et lui dit : « Je vous assure que aussi je ne l'ai pu croire ; parquoi faites comme vous aviez accoutumé, vous assurant que si je connais la vérité de votre côté, je vous aimerai mieux que je ne fis oncques ; aussi, par le contraire, votre vie est en ma main. » Dont le gentilhomme le mercia, se soumettant à toute peine et punition, s'il était trouvé coupable.

La duchesse, voyant le gentilhomme servir comme il avait accoutumé, ne le put supporter en patience, mais dit à son mari : « Ce serait bien employé, monseigneur, si vous étiez empoisonné, vu que vous avez plus de fiance en vos ennemis mortels que en vos amis.

— Je vous prie, m'amie, ne vous tormentez point de cette affaire ; car si je connais que ce que vous m'avez dit est vrai, je vous assure qu'il ne demeurera pas en vie vingt-quatre heures ; mais il m'a tant juré le contraire, vu aussi que jamais je ne m'en suis aperçu, que je ne le puis croire sans grand preuve.

— En bonne foi, monseigneur, lui dit-elle, votre bonté rend sa méchanceté plus grande. Voulez-vous plus grande preuve, que de voir un homme tel que lui sans jamais avoir bruit d'être amoureux ? Croyez, monsieur, que sans la grande entreprise qu'il avait mise en sa tête de me servir, il n'eût tant demeuré à trouver maîtresse, car oncques jeune homme ne véquit en si bonne compagnie, ainsi solitaire, comme il fait, sinon qu'il ait le cœur en si haut lieu, qu'il se contente de sa vaine espérance. Et puisque vous pensez qu'il ne vous cèle nulle vérité, je vous supplie, mettez-le à serment de son amour, car s'il en aimait une autre, je suis contente que vous le croyiez ; et sinon, pensez que je dis vérité. »

Le duc trouva les raisons de sa femme très bonnes, et mena le gentilhomme aux champs, auquel il dit : « Ma femme me continue toujours cette opinion et m'allègue une raison qui me cause un grand soupçon contre vous ; c'est que l'on s'ébahit que, vous étant si honnête et si jeune, n'avez jamais aimé, que l'on ait su : qui me fait penser que vous avez l'opinion qu'elle dit, de laquelle l'espérance vous rend si content, que vous ne pouvez penser en nulle autre femme. Parquoi je vous prie, comme ami, et vous commande, comme maître, que vous ayez à me dire si vous êtes serviteur de nulle dame de ce monde. »

Le pauvre gentilhomme, combien qu'il eût bien voulu dissimuler son affection autant qu'il tenait chère sa vie, fut contraint, voyant la jalousie de son maître, de lui jurer que véritablement il en aimait une, de laquelle la beauté était telle que celle de la duchesse ni toute sa compagnie n'était que laideur auprès, le suppliant ne le contraindre jamais de la nommer ; car l'accord de lui et de s'amie était de telle sorte qu'il ne se pouvait rompre, sinon par celui qui le premier le déclarerait. Le duc lui promit de ne l'en presser point, et fut tant content de lui qu'il lui fit meilleure chère qu'il n'avait point encore faite. Dont la duchesse s'aperçut très bien, et usant de finesse accoutumée, mit peine d'entendre l'occasion. Ce que le duc ne lui cela; d'où avec sa vengeance s'engendra une forte jalousie, qui la fit supplier le duc de commander au gentilhomme de lui nommer cette amie, l'assurant que c'était un mensonge et le meilleur moyen que l'on pourrait trouver pour l'assurer de son dire, mais que, s'il ne lui nommait celle qu'il estimait tant belle, il était le plus sot prince du monde, s'il ajoutait foi à sa parole.

Le pauvre seigneur, duquel la femme tournait l'opinion comme il lui plaisait, s'en alla promener tout seul avec ce gentilhomme, lui disant qu'il était encore en plus grande peine qu'il n'avait été, car il se doutait fort qu'il lui avait baillé une excuse pour le garder de soupçonner la vérité, qui le tormentait plus que jamais; pourquoi lui pria autant qu'il était possible de lui déclarer celle qu'il aimait si fort. Le pauvre gentilhomme le supplia de ne lui faire faire une telle faute envers celle qu'il aimait, que de lui faire rompre la promesse qu'il lui avait faite et tenue si longtemps, et de lui faire perdre un jour ce qu'il avait conservé plus de sept ans; et qu'il aimait mieux endurer la mort que de faire un tel tort à celle qui lui était si loyale.

Le duc, voyant qu'il ne lui voulait dire, entra en une si forte jalousie, que avec un visage furieux lui dit: « Or choisissez de deux choses l'une: ou de me dire celle que vous aimez plus que toutes, ou de vous en aller banni des terres où j'ai autorité, à la charge que si je vous y trouve huit jours passés, je vous ferai mourir de cruelle mort. »

Si jamais douleur saisit cœur de loyal serviteur, elle prit celui de ce pauvre gentilhomme, lequel pouvait bien dire : *Angustiae sunt mihi undique*, car d'un côté il voyait que en disant vérité il perdrait s'amie, si elle savait que par sa faute lui faillait de promesse ; aussi, en ne la confessant, il était banni du pays où elle demeurait et n'avait plus de moyen de la voir. Ainsi pressé des deux côtés, lui vint une sueur froide comme celui qui par tristesse approchait de la mort.

Le duc, voyant sa contenance, jugea qu'il n'aimait nulle dame, fors que la sienne, et que, pour n'en pouvoir nommer d'autre, il endurait telle passion ; parquoi lui dit assez rudement : « Si votre dire était véritable, vous n'auriez tant de peine à la me déclarer, mais je crois que votre offense vous tourmente. »

Le gentilhomme, piqué de cette parole et poussé de l'amour qu'il lui portait, se délibéra de lui dire vérité, se confiant que son maître était tant homme de bien que pour rien ne le voudrait révéler. Se mettant à genoux, devant lui, et les mains jointes, lui dit : « Monseigneur, l'obligation que j'ai à vous et le grand amour que je vous porte me force plus que la peur de nulle mort, car je vous vois telle fantaisie et si fausse opinion de moi, que pour vous ôter d'une si grande peine, je suis délibéré de faire ce que pour nul tourment je n'eusse fait ; vous suppliant, monseigneur, en l'honneur de Dieu, me jurer et promettre, en foi de prince et de chrétien, que jamais vous ne révèlerez le secret que, puisqu'il vous plaît, je suis contraint de dire. »

A l'heure, le duc lui jura tous les serments qu'il se put aviser, de jamais à créature du monde n'en révéler rien, ni par paroles, ni par écrit, ni par contenance. Le jeune homme, se tenant assuré d'un si vertueux prince, comme il le connaissait, alla bâtir le commencement de son malheur, en lui disant : « Il y a sept ans passés, mon seigneur, que ayant connu votre nièce, la dame du Vergy, être veuve et sans parti, mis peine d'acquérir sa bonne grâce. Et pource que n'étais de maison pour l'épouser, je me contentais d'être reçu pour serviteur ; ce que j'ai été. Et a voulu Dieu que notre affaire jusques ici fût conduit si sagement que jamais homme ou femme n'en a rien entendu ; sinon maintenant vous, monseigneur, entre les mains duquel je mets ma vie et mon honneur ; vous suppliant le tenir secret et n'en avoir en moindre estime madame votre nièce, car je ne pense sous le ciel une plus parfaite créature. »

Qui fut bien aise, ce fut le duc ; car connaissant la très grande beauté de sa nièce, ne doutant plus qu'elle ne fût plus agréable que sa femme, mais ne pouvant entendre que un tel mystère se pût conduire sans moyen, lui pria de lui dire comment il le pourrait voir. Le gentilhomme lui conta comment la chambre de sa dame saillait dans un jardin ; et que, le jour qu'il y devait aller, on laissait une petite porte ouverte, par où il entrait à pied, jusques à ce qu'il ouît japper un petit chien que sa dame laissait aller au jardin, quand toutes ses femmes étaient retirées. A l'heure, il s'en allait parler à elle toute la nuit ; et au partir lui assignait le jour qu'il devait retourner ; où sans trop grande excuse n'avait encore failli.

Le duc, qui était le plus curieux homme du monde, et qui en son temps avait fort bien mené l'amour, tant pour satisfaire à son soupçon que pour entendre une si étrange histoire, le pria de le vouloir mener avec lui la première fois qu'il irait, non comme maître, mais comme compaignon. Le gentilhomme, pour en être si avant, lui accorda et lui dit comme ce soir-là même était son assignation ; donc le duc fut plus aise que s'il eût gagné un royaume. Et feignant de s'en aller reposer en sa garde-robe, fit venir deux chevaux pour lui et le gentilhomme, et toute la nuit se mirent en chemin pour aller depuis Argilly, où le duc demorait, jusques au Vergy. Et laissant leurs chevaux hors l'enclôture, le gentilhomme fit entrer le duc au jardin par le petit huis, le priant demorer derrière un noyer, duquel lieu il pouvait voir s'il disait vrai ou non. Il n'eut guère demeuré au jardin, que le petit chien commença à japper et le gentilhomme marcha devers la tour où sa dame ne faillait à venir au devant de lui, et le saluant et embrassant, lui dit qu'il lui semblait avoir été mille ans sans le voir, et à l'heure entrèrent dans la chambre et fermèrent la porte sur eux.

Le duc, ayant vu tout ce mystère, se tint pour plus que satisfait, et attendit là non trop longuement, car le gentilhomme dit à sa dame qu'il était contraint de retourner plus tôt qu'il n'avait accoutumé, pource que le duc devait aller dès quatre heures à la chasse, où il n'osait faillir. La dame, qui aimait plus son honneur que son plaisir, ne le voulait retarder de faire son devoir, car la chose que plus elle estimait en leur honnête amitié, c'était qu'elle était secrète devant tous les hommes. Ainsi partit ce gentilhomme, à une heure après minuit; et sa dame, en manteau et en couvrechef, le conduisit non si loin qu'elle voulait, car il la contraignait de retourner, de peur qu'elle ne trouvât le duc; avec lequel il monta à cheval et s'en retourna au château d'Argilly. Et par les chemins, le duc jurait incessamment au gentilhomme mieux aimer mourir que de révéler son secret; et prit telle fiance et amour en lui, qu'il n'y avait nul en sa cour qui fût plus en sa bonne grâce; dont la duchesse devint toute enragée. Mais le duc lui défendit de jamais plus lui en parler; et qu'il en savait la vérité, dont il se tenait content, car la dame qu'il aimait était plus aimable qu'elle.

Cette parole navra si avant le cœur de la duchesse, qu'elle en prit une maladie pire que la fièvre. Le duc l'alla voir pour la consoler, mais il n'y avait ordre s'il ne lui disait qui était cette belle dame tant aimée; dont elle lui faisait une importunée presse, tant que le duc s'en alla hors de sa chambre, en lui disant: « Si vous me tenez plus de tels propos, nous nous séparerons d'ensemble. »

Ces paroles augmentèrent la maladie de la duchesse, qu'elle feignit sentir bouger son enfant: dont le duc fut si joyeux qu'il s'en alla coucher auprès d'elle. Mais à l'heure qu'elle le vit plus amoureux d'elle, se tournait de l'autre côté, lui disant: « Je vous supplie, Monsieur, puisque n'avez amour ni à femme ni à enfant, laissez-nous mourir tous deux. » Et avec ces paroles, jeta tant de larmes et de cris que le duc eut grand peur qu'elle perdît son fruit. Parquoi la prenant entre ses bras, la pria de lui dire que c'était qu'elle voulait, et qu'il n'avait rien que ce ne fût pour elle. « Ha, monseigneur, ce lui répondit-elle en pleurant, quelle espérance puis-je avoir que vous fassiez pour moi une chose difficile, quand la plus facile et raisonnable du monde, vous ne la voulez pas faire, qui est de me dire l'amie du plus méchant serviteur que vous eûtes oncques? Je pensais que vous et moi n'eussions que un cœur, une âme et une chair. Mais maintenant je connais bien que vous me tenez pour une étrangère, vu que vos secrets qui ne me doivent être celés, vous les cachez, comme à personne étrange. Hélas, monseigneur, vous m'avez dit tant de choses grandes et secrètes, desquelles jamais n'avez entendu que j'en aie parlé ; vous avez tant expérimenté ma volonté être égale à la vôtre, que vous ne povez douter que je ne sois plus vous-même que moi. Et si vous avez juré de ne dire à autrui le secret du gentilhomme, en le me disant, ne faillez à votre serment, car je ne suis ni ne puis être autre que vous : je vous ai en mon cœur, je vous tiens entre mes bras, j'ai un enfant en mon ventre, auquel vous vivez, et ne puis avoir votre cœur, comme vous avez le mien ! Mais tant plus je vous suis loyale et fidèle, plus vous m'êtes cruel et austère : qui me fait mille fois le jour désirer, par une soudaine mort, délivrer votre enfant d'un tel père, et moi d'un tel mari : ce que j'espère bientôt, puisque vous préférez un serviteur infidèle à votre femme telle que je vous suis, et à la vie de la mère d'un fruit qui est vôtre, lequel s'en va périr, ne pouvant obtenir de vous ce que plus désire de savoir. »

En ce disant, embrassa et baisa son mari, arrousant son visage de ses larmes, avec tels cris et soupirs, que le bon prince, craignant de perdre sa femme et son enfant ensemble, se délibéra de lui dire vrai du tout ; mais, avant, lui jura que si jamais elle le révélait à créature du monde, elle ne mourrait d'autre main que de la sienne ; à quoi elle se condamna et accepta la punition. A l'heure, le pauvre déçu mari lui raconta toute ce qu'il avait vu depuis un bout jusques à l'autre : dont elle fit semblant d'être contente ; mais en son cœur pensait bien le contraire. Toutefois, pour la crainte du duc, dissimula le plus qu'elle put sa passion.

Et le jour d'une grande fête, que le duc tenait sa cour, qu'il avait mandé toutes les dames du pays, et entre autres sa nièce, après le festin les danses commencèrent, où chacun fit son devoir. Mais la duchesse, qui était tormentée, voyant la beauté et bonne grâce de sa nièce du Vergy, ne se pouvait réjouir ni moins garder son dépit de paraître. Car, ayant appelé toutes les dames qu'elle fit asseoir à l'entour d'elle, commença à relever propos d'amour, et voyant que madame du Vergy n'en parlait point, lui dit, avec un cœur crevé de jalousie : « Et vous, belle nièce, est-il possible que votre beauté soit sans ami ou serviteur ?

— Madame, ce lui répondit la dame du Vergy, ma beauté ne m'a point fait de tel acquêt, car depuis la mort de mon mari n'ai voulu autres amis que ses enfants, dont je me tiens pour contente.

— Belle nièce, belle nièce, ce lui répondit madame la duchesse par exécrable dépit, il n'y a amour si secrète qu'il ne soit su, ni petit chien si affaité et fait à la main, duquel on n'entende le japper. »

Je vous laisse penser, mesdames, quelle douleur

sentit au cœur cette pauvre dame du Vergy, voyant une chose tant longuement couverte être à son grand déshonneur déclarée ; l'honneur, si soigneusement gardé et si malheureusement perdu, la tormentait, mais encore plus le soupçon qu'elle avait que son ami lui eût failli de promesse ; ce qu'elle ne pensait jamais qu'il pût faire, sinon par aimer quelque dame plus belle qu'elle, à laquelle la force d'amour aurait fait déclarer tout son fait. Toutefois sa vertu fut si grande qu'elle n'en fit un seul semblant, et répondit en riant à la duchesse qu'elle ne se connaissait point au langage des bêtes. Et sous cette sage dissimulation, son cœur fut si plein de tristesse qu'elle se leva, et passant par la chambre de la duchesse, entra en une garde-robe où le duc qui se promenait la vit entrer. Et quand la pauvre dame se trouva au lieu où elle pensait être seule, se laissa tomber sur un lit avec si grande faiblesse, que une damoiselle, qui était assise en la ruelle pour dormir, se leva, regardant par à travers le rideau qui ce pouvait être ; mais voyant que c'était madame du Vergy, laquelle pensait être seule, n'osa lui dire rien, et écouta le plus paisiblement qu'elle put.

Et la pauvre dame, avec une voix demi-morte, commença à se plaindre et dire : « O malheureuse, quelle parole est-ce que j'ai ouïe ? Quel arrêt de ma mort ai-je entendu ? Quelle sentence de ma fin ai-je reçue ? O le plus aimé qui oncques fut, est-ce la récompense de ma chaste, honnête et vertueuse amour ! O mon cœur, avez-vous fait une si périlleuse élection et choisi pour le plus loyal le plus infidèle, pour le plus véritable le plus feint, et pour le plus secret le plus médisant ? Hélas ! est-il possible que une chose cachée aux œils de tous les humains ait été révélée à madame la duchesse ? Hélas ! mon petit chien tant bien appris, le seul moyen de ma longue et vertueuse amitié, ce n'a pas été vous, qui m'avez décelé, mais celui qui a la voix plus criante que le chien abboyant, et le cœur plus ingrat que nulle bête. C'est lui qui contre son serment et sa promesse a découvert l'heureuse vie, sans tenir tort à personne, que nous avons longuement menée ! O mon ami, l'amour duquel seul est entré dedans mon cœur, avec lequel ma vie a été conservée, faut-il maintenant que, en vous déclarant mon mortel ennemi, mon honneur soit mis au vent, mon corps en la terre, et mon âme où éternellement elle demeurera ! La beauté de la duchesse est-elle si extrême, qu'elle vous a transmué comme faisait celle de Circé ? Vous a-t-elle fait venir de vertueux, vicieux, de bon, mauvais, et d'homme, bête cruelle ? O mon ami, combien que vous me failliez de promesse, si vous tiendrai de la mienne, c'est de jamais ne vous voir, après la divulgation de notre amitié ; mais aussi, ne pouvant vivre sans votre vue, je m'accorde volontiers à l'extrême douleur que je sens, à laquelle ne veux chercher remède ni par raison ni par médecine ; car la mort seule y mettra la fin, qui me sera trop plus plaisante que demorer au monde sans ami, sans honneur et sans contentement. La guerre ou la mort ne m'ont pas ôté mon ami ; mon péché ni ma coulpe ne m'ont pas ôté mon honneur ; ma faute et mon démérite ne m'ont point fait perdre mon contentement ; mais c'est l'Infortune cruelle, qui rendant ingrat le plus obligé des hommes, me fait recevoir le contraire de ce que j'ai desservi.

« Ah, madame le duchesse, quel plaisir ce vous a été, quand par moquerie m'avez allégué mon petit chien ! Or jouissez-vous du bien qui à moi seule appartient ! Or vous moquez-vous de celle qui pense par bien celer et vertueusement aimer être exempte de toute moquerie ! Oh que ce mot m'a serré le cœur, qui m'a fait rougir de honte et pâlir de jalousie ! Hélas, mon cœur, je sens bien que vous n'en pouvez plus : l'amour qui m'a reconnue vous brûle ; la jalousie et le tort que l'on vous tient vous glace et amortit, et le dépit et le regret ne me permettent de vous donner consolation. Hélas, ma pauvre âme, qui par trop avoir adoré la créature avez oublié le Créateur, il faut retourner entre les mains de Celui duquel l'amour vaine vous avait ravie. Prenez confiance, mon âme, de le trouver meilleur père que n'avez trouvé ami celui pour lequel l'avez souvent oublié. O mon Dieu, mon créateur, qui êtes le vrai et parfait amour, par la grâce duquel l'amour que j'ai porté à mon ami n'a été taché de nul vice, sinon de trop aimer, je supplie votre miséricorde de recevoir l'âme et l'esprit de celui qui se repent avoir failli à votre premier et très juste commandement ; et par le mérite de Celui duquel l'amour est incompréhensible, excusez la faute que trop d'amour m'a fait faire ; car en vous seul j'ai parfaite confiance. Et adieu, ami, duquel le nom sans effet me crève le cœur ! » A cette parole, se laissa tomber tout à l'envers, et lui devint la couleur blême, les lèvres bleues et les extrémités froides.

En cet instant, arriva en la salle le gentilhomme qu'elle aimait, et voyant la duchesse qui dansait avec les dames, regarda partout où était s'amie ; mais ne la voyant point, entra en la chambre de la duchesse, et trouva le duc qui se pourmenait, lequel devinant sa pensée, lui dit en l'oreille : « Elle est allée en cette garde-robe, et semblait qu'elle se trouvait mal. » Le gentilhomme lui demanda s'il lui plaisait bien qu'il y allât ; le duc l'en pria. Ainsi qu'il entra dedans la garde-robe, trouva madame du Vergy, qui était au dernier pas de sa mortelle vie ; laquelle il embrassa, lui disant : « Qu'est ceci, m'amie ? Me voulez-vous laisser ? » La pauvre dame, oyant la voix que tant bien elle connaissait, prit un peu de vigueur, et ouvrit l'œil, regardant celui qui était cause de sa mort ; mais en ce regard, l'amour et le dépit crurent si fort que avec un piteux soupir rendit son âme à Dieu. Le gentilhomme, plus mort que la morte, demanda à la damoiselle comme cette maladie lui était prise. Elle lui conta du long les paroles qu'elle lui avait ouï dire.

A l'heure, il connut que le duc avait révélé son secret à sa femme ; dont il sentit une telle fureur que embrassant le corps de s'amie l'arrosa longuement de ses larmes, en disant : « O moi, traître, méchant et malheureux ami, pourquoi est-ce que la punition de ma trahison n'est tombée sur moi, et non sur elle, qui est innocente ? Pourquoi le ciel ne me foudroya-t-il pas le jour que ma langue révéla la secrète et vertueuse amitié de nous deux ? Pourquoi la terre ne s'ouvrit pour engloutir ce fausseur de foi ? O ma langue, punie sois-tu comme celle du Mauvais Riche en enfer ! O mon cœur, trop craintif de mort et de bannissement, déchiré sois-tu des aigles perpétuellement comme celui de Ixion ! Hélas, m'amie, le malheur des malheurs, le plus malheureux qui oncques fut, m'est advenu ! Vous cuidant garder, je vous ai perdue ; vous cuidant voir longuement vivre avec honnête et plaisant contentement, je vous embrasse morte, mal content de moi, de mon cœur et de ma langue jusques à l'extrémité ! O la plus loyale et fidèle femme qui oncques fut, je passe condamnation d'être le plus déloyal, muable et infidèle de tous les hommes ! Je me voudrais volontiers plaindre du duc, sous la promesse duquel me suis confié, espérant par là faire durer notre heureuse vie ; mais hélas, je devais savoir que nul ne pouvait garder mon secret mieux que moi-même. Le duc a plus de raison de dire le sien à sa femme que moi à lui. Je n'accuse que moi seul de la plus grande méchanceté qui oncques fut commise entre amis. Je devais endurer être jeté à la rivière, comme il me menaçait ; au moins, m'amie, vous fussiez demeurée veuve et moi glorieusement mort, observant la loi que vraie amitié commande ; mais, l'ayant rompue, je demeure vif ; et vous, par aimer parfaitement, êtes morte, car votre cœur tant pur et net n'a su porter sans mort de savoir le vice qui était en votre ami. O mon Dieu ! pourquoi me créâtes-vous homme, ayant l'amour si légère et cœur tant ignorant ? Pourquoi ne me créâtes-vous le petit chien qui a fidèlement servi sa maîtresse ? Hélas, mon petit ami, la joie que me donnait votre japper est tournée en mortelle tristesse, puisque autre que nous deux a ouï votre voix ! Si est-ce, m'amie, que l'amour de la duchesse ni de femme vivant ne m'a fait varier, combien que par plusieurs fois la méchante m'en ait requis et prié ; mais ignorance m'a vaincu, pensant à jamais assurée notre amitié. Toutefois, pour être ignorant, je ne laisse d'être coupable, car j'ai révélé le secret de m'amie ; j'ai faussé ma promesse, qui est la seule cause dont je la vois morte devant mes œils.

« Hélas, m'amie, me sera la mort moins cruelle que à vous, qui par amour a mis fin à votre innocente vie. Je crois qu'elle ne daignerait toucher à mon infidèle et misérable cœur, car la vie déshonorée et la mémoire de ma perte, par ma faute, est plus importable que dix mille morts. Hélas, m'amie, si quelqu'un, par malheur ou malice, vous eût osé tuer, promptement j'eusse mis la main à l'épée pour vous venger. C'est donc raison que je ne pardonne à ce meurtrier, qui est cause de votre mort par un acte plus méchant que de vous donner un coup d'épée. Si je savais un plus infâme bourreau que moi-même, je le prierais d'exécuter votre traître ami. O amour ! par ignoramment aimer, je vous ai offensé : aussi vous ne me voulez secourir, comme vous avez fait celle qui a gardé toutes vos lois. Ce n'est pas raison que par un si honnête moyen je défine, mais raisonnable que ce soit par ma propre main. Puisque avec mes larmes j'ai lavé votre visage et avec ma langue vous ai requis pardon, il ne reste plus que avec ma main je rende mon corps semblable au vôtre et laisse aller mon âme où la vôtre ira, sachant qu'un amour vertueux et honnête n'a jamais fin en ce monde ni en l'autre. »

Et à l'heure se levant de dessus le corps, comme un homme forcené et hors du sens, tira son épée, et par grande violence s'en donna au travers du cœur ; et de rechef prit s'amie entre ses bras, la baisant par telle affection qu'il semblait plus être atteint d'amour que de la mort.

La damoiselle, voyant ce coup, s'en courut à la porte crier à l'aide. Le duc, oyant ce cri, doutant le mal de ceux qu'il aimait, entra le premier dedans la garde-robe ; et voyant ce piteux couple, s'essaya de les séparer, pour sauver, s'il eût été possible, le gentilhomme. Mais il tenait s'amie si fortement qu'il ne fut possible de la lui ôter jusques à ce qu'il fût trépassé. Toutefois, entendant le duc qui parlait à lui, disant : « Hélas ! qui est cause de ceci ? », avec un regard furieux lui répondit : « Ma langue et la vôtre, monsieur ! » Et en ce disant, trépassa, son visage joint à celui de s'amie.

Le duc, désirant d'entendre plus avant, contraignit la damoiselle de lui dire ce qu'elle en avait vu et entendu ; ce qu'elle fit tout du long, sans en rien celer. A l'heure, le duc, connaissant qu'il était cause de tout le mal, se jeta sur les deux amants morts ; et avec grands cris et pleurs, leur demanda pardon de sa faute, en les baisant tous deux par plusieurs fois ; et puis, tout furieux, se leva, tira son épée du corps du gentilhomme, et tout ainsi que un sanglier, étant navré d'un épieu, court d'une impétuosité contre celui qui a fait le coup, ainsi s'en alla le duc chercher celle qui l'avait navré jusques au fond de son âme ; laquelle il trouva dansant dans la salle, plus joyeuse qu'elle n'avait accoutumé, comme celle qui pensait être bien vengée de la dame du Vergy.

Le duc la prit au milieu de la danse, et lui dit : « Vous avez pris le secret sur votre vie, et sur votre vie tombera la punition. » En ce disant, la prit par la coiffure et lui donna de l'épée dedans la gorge, dont toute la compagnie fut si étonnée que l'on pensait que le duc fût hors du sens. Mais après qu'il eut parachevé ce qu'il voulait, assembla en la salle tous ses serviteurs et leur conta l'honnête et piteuse histoire de sa nièce et le méchant tour que lui avait fait sa femme, qui ne fut sans faire pleurer les assistants. Après, le duc ordonna que sa femme fût enterrée en une abbaye qu'il fonda en partie pour satisfaire au péché qu'il avait fait de tuer sa femme ; et fit faire une belle sépulture où les corps de sa nièce et du gentilhomme furent mis ensemble, avec une épitaphe déclarant la tragédie de leur histoire. Et le duc entreprit un voyage contre les Turcs, où Dieu le favorisa tant qu'il en rapporta honneur et profit, et trouva à son retour son fils puîné suffisant de gouverner son bien, lui laissa tout, et s'en alla rendre religieux en l'abbaye où étaient enterrés sa femme et les deux amants, et là passa sa vieillesse heureusement avec Dieu.

« Voilà, mes dames, l'histoire que vous m'avez priée de vous raconter ; que je connais bien à vos œils n'avoir été entendue sans compassion. Il me semble que vous devez tirer exemple de ceci, pour vous garder de mettre votre affection aux hommes, car quelque honnête ou vertueuse qu'elle soit, elle a toujours à la fin quelque mauvais déboire. Et vous voyez que saint Paul encore aux gens mariés ne veut qu'ils aient cette grande amour ensemble. Car d'autant que notre cœur est affectionné à quelque chose terrienne, d'autant s'éloigne-t-il de l'affection céleste ; et plus l'amour est honnête et vertueuse, et plus difficile en est à rompre le lien ; qui me fait vous prier, mesdames, de demander à Dieu son Saint Esprit, par lequel votre amour soit tant enflambé en l'amour de Dieu que vous n'ayez point de peine, à la mort, de laisser ce que vous aimez trop en ce monde.

— Puisque l'amour était si honnête, dit Geburon, comme vous nous la peignez, pourquoi la fallait-il tenir secrète ?

— Pour ce, dit Parlamente, que la malice des hommes est telle, que jamais ne pensent que grande amour soit jointe à honnêteté ; car ils jugent les hommes et les femmes vicieux, selon leurs passions. Et pour cette occasion, il est besoin, si une femme a quelque bon ami, outre ses plus grands prochains parents, qu'elle parle à lui secrètement, si elle y veut parler longuement ; car l'honneur d'une femme est aussi bien mis en dispute pour aimer par vertu comme par vice, vu que l'on ne se prend que à ce que l'on voit.

— Mais, ce dit Geburon, quand ce secret-là est décelé, l'on y pense beaucoup pis.

— Je le vous confesse, dit Longarine ; parquoi c'est le meilleur du tout de n'aimer point.

— Nous appelons de cette sentence, dit Dagoucin, car si nous pensions les dames sans amour, nous voudrions être sans vie. J'entends de ceux qui ne vivent que pour l'acquérir ; et encore qu'ils n'y adviennent, l'espérance les soutient et leur fait faire mille choses honorables, jusques à ce que la vieillesse change ces honnêtes passions en autres pires. Mais qui penserait que les dames n'aimassent point, il faudrait, en lieu d'hommes d'armes, ne penser que à amasser du bien.

— Donc, dit Hircan, s'il n'y avait point de femmes, vous voudriez dire que nous serions tous méchants ? Comme si nous n'avions cœur que celui qu'elles nous donnent ! Mais je suis bien de contraire opinion, qu'il n'est rien qui plus abatte le cœur d'un homme que de hanter ou trop aimer les femmes. Et pour cette occasion défendaient les Hébreux que l'année que l'homme était marié, il n'allât point à la guerre, de peur que l'amour de sa femme ne le retirât des hasards que l'on y doit chercher.

— Je trouve, dit Saffredent, cette loi sans grande raison, car il n'y a rien qui fasse plutôt sortir l'homme hors de sa maison que d'être marié, pource que la guerre de dehors n'est pas plus importable que celle de dedans, et crois que pour donner envie aux hommes d'aller en pays étranges et ne se amuser en leurs foyers, il les faudrait marier.

— Il est vrai, dit Ennasuitte, que le mariage leur ôte le soin de leur maison ; car ils s'en fient à leurs femmes et ne pensent que à acquérir honneur, étant sûrs que leurs femmes auront assez de soin du profit. »

Saffredent lui répondit : « En quelque sorte que ce soit, je suis bien aise que vous êtes de mon opinion.

— Mais, ce dit Parlamente, vous ne débattez de ce qui est le plus à considérer : c'est pourquoi le gentilhomme qui était cause de tout le mal ne mourut aussitôt de déplaisir, comme celle qui en était innocente. »

Nomerfide lui dit : « C'est pource que les femmes aiment mieux que les hommes.

— Mais c'est, ce dit Simontault, pource que la jalousie des femmes et dépit les fait crever, sans savoir pourquoi ; et la prudence des hommes les fait enquérir de la vérité : laquelle connue, par bon sens, montrent leur grand cœur, comme fit ce gentilhomme, et après avoir entendu qu'il était l'occasion du mal de s'amie, montra combien il l'aimait, sans épargner sa propre vie.

— Toutefois, dit Ennasuitte, elle mourut par

vrai amour, car son ferme et loyal cœur ne pouvait endurer d'être si vilainement trompée.

— Ce fut sa jalousie, dit Simontault, qui ne donna lieu à la raison ; et crut le mal qui n'était point en son ami, tel comme elle le pensait ; et fut sa mort contrainte, car elle n'y pouvait remédier ; mais celle de son ami fut volontaire, après avoir connu son tort.

— Si faut-il, dit Nomerfide, que l'amour soit grand, qui cause une telle douleur.

— N'en ayez point de peur, dit Hircan, car vous ne mourrez point de telle fièvre.

— Non plus, dit Nomerfide, que vous ne vous tuerez, après avoir connu votre offense. »

Parlamente, qui se doutait le débat être à ses dépens, leur dit en riant : « C'est assez que deux soient morts d'amour, sans que l'amour en fasse battre deux autres, car voilà le dernier son de vêpres qui nous départira, veuillons ou non. »

Par son conseil, la compagnie se leva, et allèrent ouïr vêpres, n'oubliant en leurs bonnes prières les âmes des vrais amants, pour lesquels les religieux, de leur bonne volonté, dirent un *De profundis*. Et tant que le souper dura, n'eurent autres propos que madame du Vergy ; et après avoir un peu passé leur temps ensemble, chacun se retira en sa chambre, et ainsi mirent fin à la septième journée.

Lexique

Affaité : dodu.
Amortir : anéantir.
Aucuns : certains.
Bruit : réputation.
Chaloir : importer.
Combien que : bien que.
Conseil : décision. Conseil : conseil du roi.
Couvrir : cacher.
Cuider : croire, penser.
Danger (être en) : risque de.
Décevoir : tromper.
Défaire (se) : se tuer.
Définе (je) : que je meure.
Degré : escalier.
Desservir : mériter.
Destitué : privé.
Difformé : déformé.
Douter : redouter.
Du tout : entièrement.
Encourtiner : entourer de rideaux.
Étrange : étranger.
Faillir : manquer (faillir à : manquer de).
Fait à la main : bien dressé.
Fiance : confiance.
Finesse : ruse.
Fors que : sauf.
Frise : drap grossier.
Flûte : petit vaisseau.
Garder : prendre en compte.
Gorgiaseté : coquetterie.
Groisse : grossesse.
Hanter : fréquenter.
Heur : bonheur.
Heure (à l') : aussitôt.
Huis : porte.
Importable : insupportable.
Là où : alors que.

Mais que : pourvu que.
Nourrir : élever.
Occasion : cause.
Oncques : jamais.
Outré : blessé.
Parquoi : c'est pourquoi.
Pourchasser : entreprendre.
Prétente : prétention.
Privé de : familier avec.
Quant et quant : en même temps.
Quitter : dispenser.
Reliques : restes.
Reseul (de) : fait d'un réseau.
Rompture : rupture.
Si : pourtant. Si est-ce que : pourtant, toujours est-il que.
Songer : rêver.
Trop : beaucoup.
Vi-roi : vice-roi.
Voulsît : voulût.

Table

LA PETITE VERMILLON

1. Adrien Baillet	*Vie de Monsieur Descartes*
2. Jean Freustié	*Auteuil*
3. Ernst Jünger	*La Paix*
4. Jean Lorrain	*Monsieur de Phocas*
5. Frédéric H. Fajardie	*La Nuit des Chats bottés*
6. Michel Déon	*Les Gens de la nuit*
7. Henry Jean-Marie Levet	*Cartes postales*
8. Antoine Blondin	*Certificats d'études*
9. Eugène d'Auriac	*D'Artagnan*
10. Ernst Jünger	*Voyage atlantique*
11. La Rochefoucauld	*Mémoires*
12. Madame de Lafayette	*La Princesse de Montpensier*
13. Jean-Claude Pirotte	*Un été dans la combe*
14. Richard Millet	*Le Sentiment de la langue*
15. Barbey d'Aurevilly	*Memoranda*
16. Frédéric H. Fajardie	*Tueurs de flics*
17. Tarjei Vesaas	*Le Vent du nord*
18. Gabriel Matzneff	*Nous n'irons plus au Luxembourg*
19. Arnould de Liedekerke	*Talon rouge*
20. Paul Valéry	*Vues*
21. Henri Garcia	*Les Contes du rugby*
22. Denis Lalanne	*Le Grand Combat du XV de France*
23. Gabriele D'Annunzio	*L'Innocent*
24. Jean Racine	*Abrégé de l'Histoire de Port-Royal*
25. Louis Chadourne	*Le Pot au noir*
26. Marc Chadourne	*Vasco*
27. Gilberte Périer	*La Vie de Monsieur Pascal*
28. Robert Louis Stevenson	*Ceux de Falesa*
29. Robert Marteau	*Fleuve sans fin*
30. François Mauriac	*La Rencontre avec Barrès*
31. Alexandre Dumas	*Antony*
32. Pol Vandromme	*Le Monde de Tintin*
33. Paul Bourget	*Le Disciple*
34. Marguerite de Navarre	*Trois contes*

35. Paul Gauguin	*Avant et Après*
36. Gabriel Matzneff	*Le Taureau de Phalaris*
37. Alexandre Dumas	*La Jeunesse des Mousquetaires*
38. Jacques Ellul	*Exégèse des nouveaux lieux communs*
39. Alphonse Allais	*La Vie drôle*
40. André Fraigneau	*Le Livre de raison d'un roi fou*
41. Jean de La Fontaine	*Poésies et œuvres diverses*
42. Paul Vidal de La Blache	*Tableau de la géographie de la France*

Achevé d'imprimer en octobre 1994
sur système Variquik
par l'imprimerie SAGIM
à Courtry

Imprimé en France

Dépôt légal : novembre 1994
N° d'édition : 2776. N° d'impression : 943